Lama Mipam's annotated commentary
to

NAGARJUNA'S

STANZAS FOR A NOVICE MONK

Together with

TSONG KHAPA'S

ESSENCE OF THE OCEAN OF VINAYA

Translated by Glenn H. Mullin
and Lobsang Rabgay

LIBRARY OF TIBETAN WORKS & ARCHIVES

First Edition 1978
This Edition 1997

ISBN: 81-86470-15-8

Published by the Library of Tibetan Works and Archives, Dharamsala, 176215, India, and printed at Indraprastha Press (CBT), Nehru House, New Delhi 110002.

Part I

Lama Mipam's annotated commentary to
Nagarjuna's

STANZAS FOR A NOVICE MONK

Part II

ESSENCE OF THE OCEAN OF VINAYA

by
Tsong Khapa

Translated from original Tibetan sources

by

Glenn H. Mullin and Lobsang Rapgay

LIBRARY OF TIBETAN WORKS AND ARCHIVES

Contents

Publisher's Note

Although the transmission of Buddhism into Tibet began in the mid-7th century, the doctrine of Vinaya, or monastic discipline, did not take firm root in the Land of Snowy Mountains until a hundred years later, when the Indian sage Shantarakshita came and founded Samye Monastery. This monumental event was marked by the ordination of the first seven Tibetan monks. Since this time the Vinaya has remained secure within the Tibetan tradition.

This present volume, an extension of the LTWA's continuing efforts to present to an English-speaking audience the many facets of Tibetan culture, contains two most important works on the Vinaya within the Tibetan traditions. The first of these, Nagarjuna's *Stanzas For a Novice Monk (dge-tshul-gyi-tshig-leur-byas-pa),* which is no longer extant in the original Sanskrit, has been translated from the Tibetan rendition, together and in accordance with the commentary by the 19th century Nyingma Lama Jamyang Mipam Rinpoche. It outlines the scope of self-discipline of the *Shramanera*, or novice monk, and in the Tibetan traditions is studied by young monks in their early teens. This work is herein supplemented by *Essence of the Ocean of Vinaya ('dul-ba-rgya-mtsho'i-snying-po)*, a concise text by the 14th century Lama Tsong Khapa on the eight fundamental categories of *pratimoksha*. Although both of these works are mainly written for the edification of the *Sangha*, it is hoped that they will be of interest to all Buddhists and Tibetologists.

The first of these works was translated by Glenn H. Mullin, a research scholar at the LTWA at the time. The second was originally rendered into English by Lobsang Rabgay, former member of the Research and Translation Bureau of the LTWA, and was then edited by Lobsang Chopel, also of the LTWA.

In reprinting this work, we considered it useful to provide a bi-linqual edition for the benefit of both Tibetan and non-Tibetan novice monks.

Gyatsho Tshering,
Director, Library of Tibetan Works & Archives.

Translator's Preface

In 1975 I went to Sarnath to translate a number of texts under the supervision of Acharya Konchok Gyaltsen, a scholar of the Drikung Kargyu Tradition. The Acharya, concerned with the Theravadin and Western misconception that Tibetan Buddhism in general and the Nyingma Tradition in particular have little understanding of or respect for the system of monastic discipline (*Vinaya*) taught by Buddha Shakyamuni for monks and nuns, suggested that a translation of Nagarjuna's *Stanzas for a Novice Monk*, together with its Nyingma commentary, would be useful. Acharya Gyaltsen felt that the former text, which is studied by novices of all four Dharma traditions of Tibet, should help to remedy the former wrong view, and that the Nyingma commentary by Lama Mipam and Samanta Dharmakirti, which is studied by all novices of the Nyingma Tradition, should counteract the latter.

My immediate response was to object to my participation in the project on the grounds that I, being a layman, was not the one to translate a manual intended principally for novice monks and nuns. Acharya Gyaltsen, however, did not accept my objection but, on the basis that there is much in the texts of practical value and interest to any Buddhist, insisted that I undertake the work. Therefore I have done so, and hope that the fruit of our efforts is of some value to scholars and practitioners of Tibetan Buddhism.

Glenn H. Mullin
Ganling Cottage,
Dharamsala, Dec. 1978

Lama Mipam, flanked by Nagarjuna on his right and Buddha on his left

Part I

A STRING OF GEMS

an Annotated Commentary to Nagarjuna's

STANZAS FOR A NOVICE MONK OF THE MULASARVASTIVADIN TRADITION

Written in accordance with a discourse and an outline of Lama Mipam by the disciple Samanta Dharmakirti

Translated from Tibetan sources by Glenn H. Mullin

in accordance with instruction received from the Drikung Kargyu Lama Acharya Konchok Gyaltsen

A STRING OF GEMS

OM SVASTI

In homage to the sages who are learned in
The path of individual liberation,[1]
The foundation of all excellences,
I set forth this commentary, 'A String of Gems'
To (Nagarjuna's) *Stanzas for a Novice Monk.*

This commentary, containing 50 Stanzas for a Novice Monk, which points out so well how to work with both the negativities to be transcended and the helpful conditions to be cultivated, depending upon various times and life situations in the training of a novice monk, will be taught under four headings:

I. Explanation of the title
II. Translator's line of homage
III. The actual text
IV. The colophon.

I. Explanation of the title

The Sanskrit title, *Arya Mula Sarvastivadin Sramanera Karika,* was translated into Tibetan as *'Phags-pa-gzhi-thams-cad yod-par sMra-ba'i dGe-tshul-gyi tshig-le'ur-byas-pa.*

Arya: "high" or "transcended," for they have evolved far beyond the reaches of mental obscuration.

Mula Sarvastivadin: the name of one of the Hinayana sub-sects of ancient India. This name, literally meaning "Those Expounding All Fundaments," derives from the fact that they explain the existence of all that can be known in terms of the three times—past, present and future—and the five fundaments [appearing forms (rupa); the main minds (chitta); the accompanying mental factors (chaitta); compositional factors which are not associated with either minds or mental factors (chitta-chaitta-viprayukta-samskara); and non-products (asamskrta)].[2] *Sramanera Karika: Stanzas for a Novice Monk* who is applying himself to and striving at serving a teacher, reciting the holy scriptures, meditating and so forth; written from the viewpoint of the lineage of "Those Expounding All Fundaments."

II. Translator's line of homage

Made by the masters who translated the text from Sanskrit into Tibetan.

To the Omniscient Ones I bow down.

Because the text is in the category of Vinaya (self-discipline), the translators have made their homage to the Buddhas, the Omniscient Ones, who know even the subtlest aspects of cause and effect.

III. The actual text

A. The exordium
B. The main body of the text.

A. The exordium consists of the homage and the promise of composition.

The homage

Obeisance to the All-knowing Guardians,
To the Dharma and to the Community of High Ones.

Guardians: a synonym for the Buddhas, who guard beings against the sufferings of samsara and the three lower realms. They are called *All-knowing*, for they have travelled to the end of everything that can be apprehended; they fully understand both the ultimate truth—just-what-is—and the conventional truth—the-limitless-diversity.

Dharma: that found in the scriptures and in the realization of masters.

Community of High Ones: the Sangha, both those training and those beyond training.

The promise of composition

I shall explain but a few
Of the practices of a novice monk.

Drawing but drops from the ocean of scriptures related to abandoning the negative and cultivating the positive, *I shall briefly explain*, in accordance with the Mula Sarvastivadin Tradition, *the practices of a novice monk.*

B. The main body of the text has two divisions

I) Advice to monks on the necessity of protecting their discipline, and

II) Extensive explanation of how to do that.

I) Advice on the necessity of protecting the discipline

One who, out of faith in the Doctrine
Of the Lion of the Shakya Clan,
Has taken ordination should,
With firm discipline, take care
And guard his trainings
As he would his own body.

Faith in the Doctrine: deep conviction and appreciation of the teachings and realization of the Four Noble Truths,[3] karma, its fruit, and so forth.

The Lion: Buddha Shakyamuni, Prince of the Shakya Clan, the Bold One who subdued mental distortions and false philosophers.

Has taken ordination: has taken true ordination by shaving his head and face, donning the robes of a monk and going from home to homelessness.

Out of faith indicates the excellent motivation; "shaving his head and face, donning the robes of a monk" indicates the excellent self-discipline; "going from home to homelessness" indicates the excellent condition; "has taken ordination" indicates the excellent action.

Such a monk should, with constant sincerity, mindfulness and introspection, pay heed, guarding against even a minor transgression of the natural "four root vows" and prescribed "six secondary precepts". Doing this[4] for as long as he may live is the excellent practice.

In order to protect a fruit tree from harm, we encircle it with a fence. Likewise, if we wish to avoid breaking the trees of the root vows and secondary precepts we must protect them with the fence of self-discipline, not failing even slightly.

Just *as you would* avoid that which is harmful to your *body* and would try to get that which brings it benefit, *guard your trainings*.

II) The extensive explanation of how to do that is in five parts:

A. What to do in the morning
B. What to do after meals
C. Explaining the regular trainings
D. What to do after the evening
E. In conclusion, praising the value of doing all these practices.

A) What to do in the morning

For the last portion of the night,
Arise from sleep
And do recitations until sunrise.
Wash the dirt from your face and teeth
And prostrate to the Perfect Awakened Ones.

Last part of the night: divide the night into five parts. The fifth or last is the interval between the crack of dawn and sunrise.

Recitations: chant aloud selections from the holy Sutras, etc., dedicating the effort to the welfare of all beings.

The Perfect Awakened Ones (Sambuddha) are called "perfected" because they have gone to the end of eliminating negativity and of gaining wisdom and power. And they are called awakened as they have both "awakened from" the sleep of ignorance and "awakened to" knowledge of all things.

With hands gently knock
On the door of the guru's abode.
Respectfully inquire of his health.
With an oyster shell gradually inspect
The water to be used in the mandala etc.,
From the top and middle to the bottom.
If there is no shell or the like,
Then with cupped hands or folded leaf
Slowly fill a vase,
Examining the water for any insects;
Yet not taking too much time.
One with compassion drinks a liquid

Only after thorough examination.
Filter water having insects,
Bringing harm to no living thing.

Guru: your abbot or personal teacher.

Oyster shell: traditionally used because of its clarity.

Mandala: the levels of the altar, the offerings of flowers and incense, etc.

Too much time: here, fanatic zeal only results in eye-strain. All that we want to do is to save the lives of the few insects.

Filter well: with any of the five kinds of legitimate filters.

Bring no harm: should an insect be discovered in the water, remove it without harming it. Be careful not to harm an insect by putting it in an environment that is totally unnatural to it, such as placing a tadpole on dry land or a flea in water. The number of living beings that you harm is the number of infractions that you bring onto yourself. Because of this, never leave your water pot uncovered.

It is permissible to use any of the following five types of water not personally examined: (i) water that has been span-checked. The custom was to wade into a pool just up to one's knee and glance into the water, searching for small creatures. If none was seen, the water within an arm's span was considered safe for consumption. (ii) Water from a well. However, one still should first glance into the vessel to convince oneself that it contains nothing living. (iii) Water belonging to a fully ordained monk, who will have previously checked it himself. (iv) Water from the kitchen of a Sangha community that has been filtered and stored. (v) Water that is generally safe, such as that running down steep mountains or over many rocks, or spring water etc.

The grass, dung, wood and so forth
That anywhere is needed
Should be without living beings.
Because of your vows,
Guard against killing.

Any material that is to be used, such as *grass* for making a seat, *wood* for fuel or for building etc., must first be examined for insects and worms. You hold the vow to abandon from your continuum all faults of body, speech and mind. Therefore practice like a lighthouse amongst butterlamps.

Prepare well the teacher's bathroom:
His seat, water, soap,
Toothbrush and washing things.
As well, do all his chores,
Such as washing his begging bowl.
The ascetic then,
At the appropriate time, prostrates
And with folded hands asks
Whether or not the teacher will eat.

Asking in this manner is the excellent preparation.

Having washed your hands,
In an orderly manner eat
A moderate quantity of food,
Not speaking,
And with mind motivated to eat
Only in order to reverse
Hunger's afflictions.

If one eats with the wish to become robust or handsome, non-virtue ensues; if one eats because one considers that, by not eating, one's body shall dissipate and consequently one will be unable to engage in spiritual practices, virtue ensues; and if neither of the two previous types of thought are present, an unprophesied dharma ensues. Thinking over these three possibilities before every meal is the excellent contemplation.

After eating
And drinking clean water,
Chant two verses of generosity
To increase the merit of giving.

In order to eliminate the effects of any possible negative attitudes on the part of whoever gave the food, and also to multiply the oceans of merit of that patron's generosity, chant a verse in praise of his goodness. As well, chant a verse for such serpent kings as Gabo and Nyega.

B) What to do after the meal

If holding an oral tradition,
Practice Dhyana.[5]
Apply yourself to reading.

If you have received the oral instructions such as meditation on emptiness, then practice such Dhyanas as meditation on ugliness—the opponent force to attachment; meditation on love—the opponent force to aversion; meditation on dependent origination—the opponent force to ignorance; and meditation on the coming and going of the breath—the opponent force to mental wandering.

If you do not have teachings on any of these meditation techniques, earnestly apply yourself to reading from the Three Categories of Scriptures.

C) Explaining the regular trainings

What constantly has to be maintained in the training is explained first in brief and then in detail.

Persevere in studying and practicing
The vows and observances.

The vows involve the abandonment of all ignoble actions of the body, speech and mind, such as the ten immoralities. The observances involve practicing under all four life situations—sitting, sleeping, eating and walking. It is therefore necessary to study these two subjects well, for one must know how to use dynamically every life experience in order to shed the negative and increase the wholesome.

Mere learning is not sufficient, however. One must actually live the teachings and strive zealously at purification and perfection of one's own being.

The detailed explanation of what is to be constantly maintained has two parts:

1) Explaining the roots of the tree of discipline, i.e., the four root vows (*phas-pham-bshi*), and
2) Explaining the branches of that tree, i.e., the six secondary precepts (*bslab-pa-phra-mo-drug*).

1) **There are four roots to the tree of discipline** constantly to be maintained:

a) The root vow not to murder
b) The root vow not to take that which is not given
c) The root vow not to engage in adultery
d) The root vow not to tell lies.

a) **The root vow not to kill** is under two headings:

1. Actual murder, and
2. Proximate murder.

1. **Actual murder** may be committed in any of three ways: by body, by speech or by craft.

By body: Once in the land of Brindisi, the Transcendent Destroyer, the Buddha, taught his monks how to meditate upon the innate impurity of the human body. The monks practiced this meditation intensely and many of them generated a renounced mind. Others amongst them, however, became extremely negative and attempted suicide by such means as ingesting poison, stabbing themselves, jumping off cliffs and so forth.

One monk wished to kill himself but had not the courage. He was clever and the monk whose position it was to guard the group was stupid. One day he said to the guard, "O noble man, please kill me and I shall give you all my robes."

The guard killed him and went to the river to wash the knife. As he was washing it, a devil, a deva-son mara, appeared before him, seated on the waters. The devil praised him, saying, "O guard, greatly have you increased your stock of merits."

As the guard desired more robes and thought to increase even further his stock of merits, he concealed the knife under his arm and walked from the temple to the circumambulation path, killing sixty monks on the way.

The purification ceremony of the full moon arrived. The Bhagavan asked, "Ananda, for what reason are there so few monks here today?" Ananda explained what had happened. Buddha scolded the monk-guard in many ways and, seeing ten advantages,[6] gave the following exhortation:

Think about how not to degenerate
The mind which maintains the discipline.
If by yourself or by a hired assassin

A human being is killed unmistakenly,
The discipline is broken.

Degenerating the mind which maintains: this is brought about by submitting to tendencies such as hysteria, panic, attachment, anger, confusion, etc.

A human being: one born or one yet unborn from the mother's womb.

Unmistakenly: the root vow is not completely destroyed if the person killed is not the intended victim.

The instant the deed becomes complete by the death of the planned victim, the root vow has been broken. At that moment one is no longer a monk.

By speech:

Do not give advice to die
To anyone tortured by pain,
To anyone with vows,
To anyone with broken vows,
Nor to anyone fallen sick.

Many are the stories of those who have died because after they had long been tortured by some type of pain someone told them, "After you die you will certainly take a high rebirth, so kill yourself." Or because when they were deeply worried about having broken certain vows someone advised them, saying, "Your evils will increase each day you remain alive, so kill yourself." Or because when they were suffering with a heavy illness someone advised them, "You're going to suffer intensely for the rest of your life, so kill yourself." If you advise anyone who is in a state of physical or mental suffering to kill himself and he actually does so, the root vow not to commit murder is broken completely.

By craft: The householder Tobde[7] had two sons—Depa and Nyede. While Depa was away on a trading excursion, the younger brother Nyede caused the wife of Depa to become pregnant. Shortly after this, Nyede took ordination at Sravasti and became a monk. His friend who was a doctor gave medicine to see to the abortion of the child. However, the event became widely known and discussed.

One day Buddha asked Nyede, "Did you do so?" Nyede replied,"I did not do so, but I admired the work." The Buddha said that such an act in the future will lead to the infraction of the vow and gave the following exhortation:

If you or another kills
By any of the various crafts—
Medicine, spells, witchcraft,
Or directing another towards death—
The discipline crumbles.

Medicine: mixing medicines or poisons with anyone's food or drink.

Spells: using mantras to invoke demons.

Witchcraft: using black magic to control evil fairies, etc.

Directing towards death: arranging that someone walks off a cliff, gets caught in a fire, gets bitten by a ferocious animal or by a poisonous snake, etc.

In brief, the discipline crumbles and the root vow is broken if with the presence of all four factors—an ascribed object, a negative motivation, the actual deed, and the completion of the deed (by the death of the victim)—a monk kills a human being.

2. **Proximate murder** is dealt with under two headings: major (*sbom-po*) and minor (*nyes-byas*) breaches.

Major breaches:

If one kills an animal,
A hell being, ghost or god—
An evil resulting in lower rebirth—
A near-breach is incurred.

Minor breaches:

If with body, speech and mind
An ascetic plans someone's death,
A threefold unspeakable evil is committed,
Even should the victim live on.
Bring harm to no man,
By such means as striking
With rocks, sticks or the hand.
Do not beat animals
Or ride horses (for mere pleasure).

b) **The root vow not to take that which is not given** is in three parts:

1. The root vow as taught
2. Minor breaches
3. The objects that serve as conditions for a transgression.

1. The root vow as taught

The Bhagavan was once residing at Kalandaka, Rajgir. At that time the youth Norchen, who came from a family of potters, took ordination.

Norchen was living in a straw hut in a hermitage near Rajgir. One day while he was out begging for alms, some herdsmen broke up his hut and carried away the straw and lumber. Once more he constructed a straw hut and again it was stolen; whereupon he became exasperated and built a beautiful hut from red clay.

When the Bhagavan was out walking he saw this hut and, upon asking whose it was, was told that it belonged to the monk Norchen. "The Extremists will criticize us if one of our monks lives in such an elegant house. It should be destroyed," said Buddha. Thereupon the monks knocked it down.

Norchen decided to approach the official wood guardian of Rajgir to get wood for yet another house. "Please give me the wood offered by His Majesty the King on Coronation Day," he asked.

"If the king has offered you wood, indeed you may use it as you please," replied the guardian.

Norchen chopped down and cut up timber meant for repairs in Rajgir. But as he was carrying the wood away he was seen by a policeman and was taken into custody.

The King summoned Norchen and demanded of him, "Is it correct for you to have taken that which was not given?"

"Although it is incorrect for a monk to take what is not given, what I took was in fact given to me by you, O King. During your coronation ceremony you proclaimed that monks and brahmins could use as they please any grass, wood or water lying unused. Do you not remember?"asked Norchen.

"I proclaimed that what is not under my direct care may be used, not what is under my direct care," retorted the King.

"If something is not under your direct care, Your Majesty, what is the point of your giving it?"asked Norchen.

The King became furious and declared, "Monks who take what

is not given ought to be killed. Warn them, therefore, not to do so in the future."

When the Buddha heard of this incident he scolded Norchen in many ways and gave the following exhortation:

A novice monk should not
Himself or through another
Unmistakenly and with covetousness,
By force or stealth
Steal even five mashakas
From the house of another person,
Or a quarter karshapana
From a traveller;
For by having stolen that amount
His moral discipline becomes nothing.

If a novice monk out of a negative mind steals an object of any real value from anyone and then fully accepts and believes that he himself owns that object, the root vow is broken.

The *mashaka* and the *karshapana* are monetary units that were used in Nagarjuna's time. There are various opinions as to the Tibetan equivalents of these measurements; some say that one *karshapa* equals one *sho*, others say it equals two *shos* and yet others say it equals eight. Be all this as it may, "real value" is the intended meaning in both cases.

2. *Minor breaches*

Even if the object has no real value, at the moment one with covetous mind moves from one's seat in order to steal, one has created a breach which should be repaired.

3. *The objects that serve as conditions for a transgression:*

If a seed, a root, a fruit, a tree,
A stalk, a leaf, bark, water,
Water-growing or earth-growing flowers,
A field, crops, a plot of land,
A boat, wood, tax or travel fare,
An animal with two, four or no legs, etc.,
Is stolen by an ascetic,
Or if a man's wealth, such as jewels,

Is greedily stolen,
And if the object has real value,
The vow is destroyed.

Water: e.g. diverting a stream into one's own land in times of drought, at the expense of another; or in times of heavy rain diverting the water away from one's land to another's, for the benefit of one's own crops and to the damage of another's.

If a thief carries off your begging bowl, etc.,
Win him over by teaching Dharma
Or else buy back the articles at their value:
Not to do so is to create a minor breach.

Not to do so, but instead to try to retake these possessions by means of force, is to incur a minor breach.

c) **The root vow not to contradict brahmacharya** is in two parts:

1. What actually is to be guarded against
2. How one ought to guard oneself.

1. What actually is to be guarded against

The Bhagavan was once residing near the land of Kalandaka. At that time a householder named Zangjin[8] became ordained and left his home.

Zangjin's mother lamented and begged of him: "O son, your house and the wealth of your family are great. Our heritage is abundant. Yet when we die this will all become the property of the King. Although it would not be correct for you to lead the life of a layman again, pray, donate a few drops of your sperm and give us a grandson."

Zangjin consented. When the appointed time came and the mother adorned a fertile consort with ornaments and led her to him, he copulated.

It happened that not long after this incident had occurred, Buddha spoke of the disadvantages of the three psychic poisons—anger, desire and ignorance. Zangjin remembered his previous actions and became filled with remorse. Some monks asked him the cause of his sadness and he told them honestly. They spoke of this to Buddha, who scolded Zangjin in many ways and gave the following exhortation:

If with an unimpaired mind a vowholder
Out of lust passes his jewel
Into any of three doors,
And if the door is undiseased
And he experiences orgasm,
The discipline crumbles; the vow is destroyed
Even if he relishes the orgasm resulting from
Being overpowered and forced
By a man, a woman, or a eunuch.[9]

Unimpaired mind: A mind with the accompanying mental factor of distinguishing awareness (*shes-rab*) functioning naturally.

Three doors: The anus, mouth and vagina.

Experiences orgasm: The moment a monk experiences orgasm and relishes it in his mind, the vow is broken.

Overpowered: If, when physically weak, a monk experiences orgasm because of being forced or overpowered by someone who, against his will, presses one of their three doors against his penis, and if the monk mentally submits himself to the experience, the vow is broken.

2. *How one ought to guard oneself*

Better it is to enter the mouth
Of a poisonous snake than to desire
The pleasure gained from the genitals:
For one's vow would not be destroyed
So spoke the Perfect Buddha.
Although a snake may kill you,
Your self-discipline would continue
To bring about what is beneficial;
Breaking the discipline by nature is suffering
And creates obstructions to liberation.

If one dies with discipline intact, the benefits continue to arise. One collects the cause that will prevent all possibility of one's training being destroyed and, in the future, one will take rebirth in a conducive environment. Alternatively, if one breaks one's self-discipline, great sufferings will be experienced even in this life and in the future one will be reborn in a hell or as a ghost or an animal.

Obstacles to the attainment of eternal bliss will arise and one will lack all good fortune.

d) **The root vow not to commit falsity** is in two parts:

1. Fully breaking the root vow
2. Other forms of ignoble speech.

1. Fully breaking the root vow

Once when the Bhagavan was residing near Vaisali there occurred a famine so intense that mothers were not giving food to their own children. Some monks and elders, possessing magical powers, transported themselves to distant lands in search of food. Those who went to the Northern Continent returned with not only enough food for themselves but with much to give to others as well.

A cloister of five hundred monks who, previous to ordination had belonged to a community of fishermen and who were neither learned nor in possession of magical abilities, thought that if they spread rumors of one another's greatness they would receive many offerings. "He has attained the state of a stream-winner," "He is a once-returner," "He is a never-returner," "He is an Arhat,"[10] "He has gained world-mastery," "He is able to teach anything in any of the Three Categories of Scripture," they said of one another. Consequently they all became fat on offerings.

When summer came to an end, all the Buddhist monks collected together. Ananda met the cloister of five hundred monks on their way to pay tribute to the Bhagavan. He asked them: "The other monks, destitute for food, have become like skeletons. How is it that you do not share the same condition ?"

They told him of their method of acquiring offerings. "Did you proclaim one another's actual qualities or did you lie?" asked Ananda. "We spoke of qualities we do not possess,". they replied.

The Buddha heard Ananda reproaching these monks for their improper doings. He himself then scolded them in many ways and gave this exhortation:

If one says that one saw gods,
Heard their voices or spoke with them,
Or that the gods come to where one sits,
Or that one can travel to the heavens,
Or similarly, if one says that one has seen
A scent-eating spirit, a vampire, a naga,

A ghost or centaur, or if one says
That one has attained samadhi,
The clairvoyances, the immeasurable attitudes,
The state of a stream-winner, once-returner,
Never-returner or Arhat,
Or that one has truly entered the path,
And if one is not aberrant
And is without delusions of grandeur,
And if these false words about a possessor
Of great qualities are heard and believed,
The discipline crumbles.

A monk living in seclusion once crushed and arrested the action of the mentally distorting elements (attachment, aversion and ignorance) by means of samadhi. It seemed to him that these elements would never again be able to affect him, so he announced that he had destroyed all his delusions. However, when he entered the town, such sights as beautiful girls and old enemies regenerated negativity within him.

"Perhaps I have spoken that falsity which is the furthest extreme of non-Dharma," he thought and spoke of his experience to Buddha.

Buddha advised him: "One should leave the announcing of one's own attainments to those with nothing but delusions of grandeur."

2. *Other forms of ignoble speech* fall under three headings:

A. The verbal negativity (e.g. lying, etc.) to be left behind
B. The four Dharmic actions of a monk
C. Instructions to abandon other forms of ignoble speech not explained here.

A. *The verbal negativities to be left behind:*

Not to mention lying
About special attainments,
All false words incur sins
By which one is capitulated.
Do not slander,
For it causes friends to part:
Speak not in mobs
And do not speak harshly.

Slander: It does not matter if what one says is true or not; if one's words alienate two people from each other, one has committed slander.

Although only lies pertaining to possession of special attainments constitute the breaking of this root vow, all forms of falsity are negative from beginning to end, resulting in suffering and in dispositions for rebirth in a lower realm of existence.

B. The four dharmic actions of a monk:

When insults are slung, do not answer.
When scolded, do not rebuke.
When your shortcomings are flaunted,
Do not return the abuse.
Even if you are struck,
Do not strike back.

C. Instructing to abandon other forms of ignoble speech which are not explained here:

The intelligent, with love
For the training, control themselves,
Abandoning all faults of speech.
Knowing this, tie the tongue tightly.

Faults of speech: such things as discussing kings, thieves and politics.

2) **Constantly maintaining the branches of the tree of discipline,** i.e., the six secondary precepts and so forth, is explained under four headings:

a) A sober mind
b) Austerity, which includes four of the secondary precepts
c) Not accepting gold and silver
d) Explanations of restraints not mentioned above.

a) A sober mind

The types of drinks to be abandoned:

Not of concoctions of yeast and grains
Nor of drinks such as barley beer,
Nor of wines prepared from liquid extracts
Of trees, flowers, rice and the like
Should the vowholder wishing benefit partake:

For they are infamous
In causing depraved foolishness.

The necessity of abandoning these drinks:

When one drinks alcohol,
Mindfulness decreases
And the ascetic becomes uncontrolled.
Uncontrolled, the discipline crumbles.
Remember the advice of the Master:
Intoxication increases negativity;
So drink not even that amount
Held on the tip of a blade of grass.

There is an anecdote of a monk, before whom was placed a keg of beer, a sheep and a woman. The monk was ordered to take his choice between drinking the beer, killing the sheep or raping the woman. Thinking that drinking was the least of the three evils, he drank the entire keg of beer. Soon, however, he lost all awareness. He then killed the sheep and raped the woman as well.

It is because of incidents like this that the Buddha said: "A member of my monkhood should not drink or pour for another even the quantity of alcohol that can be held on the tip of a blade of grass. A monk who drinks is not fit to be a practitioner of the Dharma and I would not be his teacher."

Drinking beer or other intoxicants is not in itself a great fault, but its nature is to increase whatever faults one may have.

Should it happen that you are sick and must drink beer for health purposes, boil it first until its power of taste and intoxication are destroyed. Only then should it be ingested.

b) Austerity is fourfold:

1. Refraining from dancing, etc.
2. Not wearing necklaces, etc.
3. Not sleeping on high or luxurious beds
4. Not eating in the evening.

1. Refraining from dancing, etc.

The Bhagavan was once residing near Rajgir. At that time the temple to the serpent kings Riwo and Yiong was being completed under the direction of King Bimbisara.

An enormous inauguration ceremony was planned. The dancers, who had been brought from the south, chose to dance a satire on Buddha and six of his less sensible disciples.

This upset the six disciples. They followed the dancers and themselves performed a dance at the next festival, hoping to insult the troupe. Most of the people came to watch the six dancing disciples, resulting in the professional dancers and their musicians losing much of their income.

The Buddha heard of this and gave the following exhortation:

A vowholder should not sing, dance
Or, likewise, play musical instruments.

Should not sing etc: in improper situations or at improper times.

2. Not wearing necklaces, etc.

When the Bhagavan was residing at Kalandaka in the Forest of Light near Rajgir, the same six less sensible disciples attended a ceremony in the main temple, bedecked in necklaces, their bodies dyed in many colors.

Thereafter the Bhagavan gave the following exhortation:

A monk should not anoint himself with perfumes,
Nor wear sandalwood or the like.
He should not paint himself
With dyes such as tumeric or saffron,
Nor wear necklaces or flowery headgear.
He should not adorn himself
With ornaments of gold and so forth,
Nor use eye ointments, such as eye shadow,
Unless the eyes be afflicted.

3. Not sleeping on high or luxurious beds.

Do not sit or sleep on seats or beds
That are more than a cubit in height,
Or that, although low, are luxurious
And are adorned with precious substances.

It is, of course, permissible for a monk to sit on a high and beautifully adorned throne while teaching the Dharma, but even then he should sit in contemplation of impermanence and non-attachment.

Only in cold and stormy places is it permissible to use bedding made of animal skins.

The purpose of abandoning dancing, ornamentation and sleeping on high beds or seats:

Relying upon music, dancing
And high beds and seats
Generates vanity in a person;
Discipline is maintained, it is taught,
By severing vain limbs.

4. Not taking food in the evening is explained under three headings: improper time, and what does and does not incur a breach.

Improper time:

From the time the sun crosses the meridian
Until the break of dawn
Was said by Buddha to be the time
A vowholder should not eat.

Dawn has three phases: when the color of the sky is grey, when it is gold and when it is red. *Break of dawn* refers to the moment gold turns to red.

Proper time:

From the break of dawn until midday
Is the period in which to eat.
Therefore take food then
(To strengthen) the awareness
(That maintains) the discipline.

What does and does not incur a breach:

Never take food at an improper time,
Considering it as proper.
However, the patient incurs no breach
When ill and following a doctor's orders.

If one must walk for more than four miles (4,000 spans) during a day or if one is living in an area of famine, it is permissible to eat at any time the opportunity presents itself.

c) *Not accepting gold and silver*

Not accepting gold and silver is dealt with under three headings: the objects themselves, what ought to be done, and exceptional situations.

The objects themselves:

Gold means pecuniary substances
And silver, the same.
When a patron offers them,
The ascetic does not accept.

What ought to be done:

If with an improper offering
You plan only to buy necessities,
Consider clearly (your motivation);
Then have a layman accept it for you.

Necessities: If you are destitute for food, clothing or medicine and so forth and someone offers you money with which to buy these things, it is permissible to accept it. Even then, however, try to have a layman accept the money and buy the required article in your stead.

Exceptional situations:

Although gold or silver is touched,
No fault ensues if it is to be
Offered to the three jewels
Or to the Brahmacharins.

Offered to the three jewels: used to build statues, to print texts, to support the monkhood or to honor the Brahmacharins—the great masters. Although it is permissible to touch money for these special purposes, whenever public barter is required one should ask a layman to act on one's behalf.

d) *Abandonments and engagements not mentioned above* are explained under two headings:

1. Abandoning harmful views from one's continuum
2. Respecting others.

1. Abandoning harmful views from one's mental continuum

By desire, obstructions are created:
So spoke the perfect Buddha.
The novice monk should not ignorantly say
Obstructions are not thus created.
If he does say so, he is to be
Relieved of his privileges
And sent from the temple.

If a Buddhist monk speaks against the words of Buddha, he should be gently reproached. If this is ineffective, the leader of the cloister should formally ask him to consider his conduct more carefully. If even this does not correct him, he should be expelled from the cloister and not allowed to pass another night in any house belonging to the monastery.

As for that novice monk, because his practice has been polluted with conflicting ideas, because he lacks control, because he has lost his monastic position and because he is of divided spirit, he is as though dead. Having lost his spiritual direction he is, metaphorically speaking, a corpse.

2. Respecting others

Having contemplated death,
Avoid violence.
Laugh not loudly
And cover your mouth
When yawning and the like.
When an elder sneezes,
Utter, "I bow;"
When a minor sneezes, "Health to you;"
When a layman sneezes,
Wish him long life.
Do not eject mucus or spittle
Near the Guru's home,
Nor pick at your teeth (in his company);
Likewise do not sit or lie (when he is standing),
Do not aimlessly wander about
Nor appear in lower garments alone.

Thus the ascetic should always act
With respect and veneration for others.

D) What to do in the evening

Having washed your hands,
See that the household utensils are clean.
First check and filter the water,
Then bring it inside.
Do not sleep in a place
Not allotted to you.
Without mindfulness, do not sit
On the bed of another monk.
With mindfulness, however, there is no fault.

Buddha advised: "It is not good for a monk to spend even one night in a monastic community where he has no right to be." Therefore, unless you have been ordained for more than ten years, whenever you are wandering or travelling and wish to stay in a monastery, first ask its master, or at least its caretaker, for permission. If no one equivalent is present, ask the permission of a responsible member of the monastery, such as a monk recognized for spiritual attainments, a monk learned in Vinaya or a monk with strong discipline and self-control.

There is no fault in going
To drink water or clean your teeth
Nor in going to the latrine
Nor in paying homage to the images of Buddha
Without first asking (the Guru);
But the ascetic creates a fault
With every activity other than these
That he does without first asking his teacher.

Every activity: Such as going to study a text with another teacher, engaging in a new meditation practice, having new robes made, etc.

After prostrating to the stupa
The ascetic does not sleep
But tends to the Guru
And asks for his advice.

Asks for his advice: He should ask the Guru for permission to remain awake during the late evening and early dawn and should ask for advice on what practices to do at that time.

> *Having bathed the Guru, the ascetic*
> *Should pay heed during the first*
> *And last portions of the night.*
> *He should not sleep during those times.*
> *In this way he lives*
> *Truthfully to his word.*

If one forsakes the Guru's advice and does not carry out what one has taken upon oneself to cut off and to accomplish, one knowingly lives in spiritual hypocrisy.

> *With mind focused on*
> *Arising and luminosity,*
> *Lie in a posture called*
> *The Sleeping Lion.*

When the middle portion of the night arrives, *lie in the posture* called *the 'Sleeping Lion.'* Generate both a firm determination to *arise* quickly from bed in the morning and mental focus upon the ten directions as being pervaded by *luminosity*.

> *With mindfulness and a positive stream*
> *One quickly awakens*
> *And practices just as taught.*

If at the time one falls asleep one is abiding in mindfulness upon luminosity and maintaining a spiritual stream, such as contemplation of the Three Jewels, then even one's dreams will be constructive and in the morning one will be able to awaken easily and quickly. When the last portion of the night comes, quickly arise from sleep and engage in the practices of the day, as was taught earlier (in this text).

These are the ways in which a novice monk should train himself.

E) In conclusion, praising the value of doing all these practices

> *Thus the delusions quickly fade*
> *And highest enlightenment is attained.*
> *Therefore, pay heed.*

What qualifications and benefits follow from taking up the practices of restraint and engagement explained above? Your body and mind will develop to the point where the suchness of interdependent origination is directly visible; all mental obscuration will fade and fall away from your mindstream; and you will surpass the states of enlightenment attained by the Shravaka Arhats and Pratyekabuddhas,[11] to actualize highest enlightenment, the perfect state of a Buddha.

Therefore, pay heed to the causes of these three results. With reverence and steadfastness strive in the disciplines of taking up the spiritually wholesome and relinquishing the unwholesome. This is my heartfelt advice to you.

IV. The Colophon (to the Root Text)

These stanzas for a novice monk following the exalted Mula Sarvastivadin Tradition were composed by Acharya Nagarjuna.

The text was translated from the Sanskrit into Tibetan, and was edited and certified by the Indian Abbot Muni Varma and the Tibetan Translator Nanam Yeshe.

(Mipham Rinpoche concludes his index to the text with the following verse:)

By the spreading of the divine fragrance
Of the peerless Vinaya's honey festival
To novices budding with youth
And adorned with the fresh lotus of clear mind,
May all goodness increase.

(Samanta Dharmakirti concludes his commentary, written in accordance with the index of and an oral teaching by his Guru, Lama Mipham, as follows:)

Self-discipline, the basis of all excellence,
A spring heralding all spiritual joys,
The path of individual liberation leading to eternal
goodness,
Was said by the Buddha to be both teacher and teaching.

Therefore, novices on the road of freedom-seekers
Apply themselves to it now,
That in future they may enter deeply
Into the ocean of Vinaya.[12]
May any merit this work ever accrues

Fulfil the visions of the past and present masters,
Increase the lifespan of the lineage-holders,
Cause the Buddhadharma to thrive
And simultaneously transform all living beings
Into complete and perfect Buddha.

Notes

1. Pāli: Patimokkha.
2. CF. Geshe Sopa and Jeffrey Hopkins, transl. *Practice and Theory of Tibetan Buddhism* (London: Rider and New York, Grove Press 1977), pp.10-11.
3. The Four Noble Truths: (1) that unenlightened existence revolves around dissatisfaction and suffering; (2) that all dissatisfaction and suffering is caused by karma and delusion; (3) that there exists a mental state beyond suffering; and (4) that there exists a path or way leading to the state beyond suffering.

   As is stated by H. H. the Dalai Lama in *The Buddhism of Tibet and the Key to the Middle Way* (London: George Allen & Unwin Ltd., 1975) p.2: "Sufferings are to known, their sources are to be abandoned, their cessation is to be actualized, paths are to be cultivated."
4. Cf. H.H. the Dalai Lama, *The Opening of the Wisdom Eye* (Madras: The Theosophical Publishing House, 1971), pp.66: "Novice monks and nuns have each thirty-six precepts, ten of which (the four root vows and the six secondary precepts) are root precepts." These ten vows provide the subject matter for the main body of this text, *Stanzas for a Novice Monk*.
5. Tibetan: bSam-gtan, literally meaning focused or stabilized thought. Cf. Geshe Wangyal, *The Door of Liberation* (New York: Maurice Girodias Books, 1974).
6. Seeing ten advantages: "For the excellence of the Sangha, for the comfort of the Sangha, for the restraint of evil-minded men, for the ease of good monks, for stemming the pollution of the here and now, etc." Cf. *The Patimokkha Sutta* (Bangkok: The Social Science Assoc. Press).
7. I have chosen to leave most names that appear in the Sutra quotations in their Tibetan forms rather than retranslate them into Sanskrit. Exceptions have been made with regard to names such as Buddha, Ananda, etc., the Sanskrit forms of which are well known to Western readers.
8. Pāli: Sudinna. According to Tibetan oral tradition, Sudinna is an early incarnation of Kyabje Ling Rinpoche, Senior Tutor to His Holiness the Fourteenth Dalai Lama.
9. It might be asked, why does Buddhism demand celibacy of its

priesthood? The answer is given by Lama Tubten Zopa in his work *Commentary To The Mahayana Precepts* (Kathmandu International Mahayana Institute): "Sexual Intercourse and the loss of sperm...cause the senses to lose power and the mind to become unclear...set up a mental habit of craving for temporal pleasure...bring great disturbances to meditation by causing distracting memories and reflections to dominate the mind...render the mind incapable of practicing clear visualization (tantric meditation)...weaken the memory power that maintains effective meditation...create barriers to opening the chakras (energy centres) and controlling the vital energy flows of the body...and from the view point of Highest Yoga Tantra are the worst disturbances to the body, speech and mind."

At present there are a number of modern schools for Western psychology that condemn celibacy as being at the root of a host of mental frustrations and aberrations. Buddhism seems to take a middle way between this view of the stereotype "sex is dirty, celibacy for all" attitude by advocating celibacy and the lifestyle of a monk or nun for people of strong spiritual inclinations and few sensual cravings, but permitting its lay followers morally to indulge in sexual intercourse as many as five times a night (more than five times is considered to be something of an excess). This approach seems to have worked out quite well, maintaining both a strong Sangha and a happy lay community.

10. Cf. Sopa and Hopkins, *op. cit.*, p.87: "A Stream-winner is one (with such attainment that he) will never again be born as a hell-being, a hungry ghost or an animal. A Once returner will never be reborn again in the desire realm. A Foe-destroyer (Arhat) has overcome all the afflictions and thus is completely liberated from cyclic existence."
11. The two types of Hinayana attainment. Cf. H.H. the Dalai Lama, *Tantra In Tibet*, translated by Jeffrey Hopkins (London: George Allen & Unwin Ltd., 1978), p.38: "Shravakas and Pratyekabuddhas equally abandon the conception of inherent existence, but Pratyekabuddhas amass more merit than Shravakas, and thus, when they actualize the fruit of their vehicle, are capable of becoming Foe-destroyers—destroyers of foe, the afflictions, the principal of which is the conception of inherent existence—without depending on a teacher at that time."
12. The passage "may enter deeply into the ocean of Vinaya" means that they will be authorized to engage in the ways and studies of a fully ordained monk, who in the Tibetan tradition holds a total of two hundred and fifty-three vows.

Je Tsong Khapa

Part II

ESSENCE OF THE OCEAN OF VINAYA

by

Lama Tsong Khapa
(1357-1419)

Translated from the Tibetan by
Lobsang Rabgay

OM! May goodness and happiness thrive!!!

I bow down to the All-Knowing One.

Reliance on the pratimoksha is the means for travelling easily to the city of liberation. This well-known pratimoksha, the supreme essence of the teaching of the Sugata, is clearly explained in six divisions: nature, classification, individual characteristics, basis of arising, cause of termination, and advantages.

(Nature:)

Some schools assert that the vows are physical: that they concern the actions of body and speech which oppose the basis of harming others. Others assert that they are mental: that their basis is the continual thought of abandonment, together with its seed. Both system have renunciation as their cause. These are the two views that our two schools—upper and lower respectively—propound.

(Classification:)

The one-day vow, the precepts of laymen and laywomen, those of novice monks and novice nuns, probationary nuns and fully ordained monks and nuns: these are the eight types of pratimoksha. The first three are lay ordinations; the last five are monastic.

(Individual characteristics:)

The four roots and the four branches: avoidance of these eight is the one-day vow. Impure conduct, killing, stealing and lying are the four roots. Using high seats, taking intoxicants, dancing and wearing ornaments, and eating after midday: these are the four branches.

Avoiding killing, stealing, lying, adultery and intoxicants are the lay vows for men and women. Observing one, some, most or all of these, together with pure conduct and the Refuge vows, are the six types of lay ordinations.

Respectfully, the observances for the six are: avoidance of one, two or three of the four roots, avoidance of adultery and also of impure conduct and observing the Refuge vow alone.

Four roots and six branches: avoidance of these ten are the novice vows. The four roots are the same as those above. As for the six branches, dancing and beautifying oneself are taken as two; not handling gold or silver makes a third; and when these are added to not using high seats, taking intoxicants nor eating after noon, the six are complete.

Revering one's ordination master, discarding the signs of a householder, and taking on the signs of an ordained person: these three, added to the previous ten, constitute the thirteen avoidances.

For a probationary nun, in addition to the novice vows there are the six root and six secondary avoidances. Not travelling alone, not swimming across rivers, not touching a man, not staying alone with a man, not being a match-maker, and not concealing one's sins: these are the six roots to be avoided.

Not touching gold, not shaving one's pubic hair, not eating food that is not offered to one, not eating hoarded food, not excreting on green grass, and not digging the earth: these are the six secondary precepts.

Eight defeats, twenty remainders, thirty-three forfeitures, a hundred and eight downfalls, eleven personal confessions, and a hundred and twelve wrongs: these are the three hundred and sixty-four things to be avoided by a fully ordained nun.

Four defeats, thirteen remainders, thirty forfeitures, ninety downfalls, four personal confessions, and a hundred and twelve wrongs: these are the two hundred and fifty-three things to be avoided by a fully ordained monk.

(Basis of arising:)

These eight sets of pratimoksha vows are attainable by all men and women of the three continents—the Northern Continent being excepted. But they cannot be taken by a eunuch, a trans-sexual, a hermaphrodite etc.

(Termination:)

There are two factors that terminate the vows: the common ways and the special cases. Returning the vow, death, developing organs of both sexes, experiencing sexual transformation three times, and severance of the root of virtue (by holding gross wrong views, such as not having confidence in the laws of karma, or in the concept of enlightenment, etc.) are the common ways by which the vows are terminated.

Discovering that one is not yet twenty, accepting physical contact with a man, and the termination of a complete daily cycle:

these are the special cases that terminate the vows of a fully ordained monk, a fully ordained nun, and a one-day vowholder, respectively.

In addition, some say that the vows are destroyed by the committing of a major transgression or by the termination of the Buddha's doctrine. But the Kashmiri Vaibhashikas assert that one who commits a major transgression still retains ordination; he/she is merely like a rich person owing a debt.

(ADVANTAGE:)

By keeping these vows, the temporary goals—rebirth as a man or a god—and the ultimate goals—any of the three types of enlightenment—are quickly attained. Thus it has been said. Therefore enthusiasts should constantly observe the pratimoksha.

By the force of any virtue of this text, may all living beings abide in pure ways throughout all their lives.

> Ethical discipline is water to clean away the stains of evil,
> Moonlight to cool the heat of delusion,
> Radiance towering like a mountain in the midst of sentient beings,
> The force peacefully to unite mankind.

Lama Tsong Khapa

༄༅། །གཞི་ཐམས་ཅད་ཡོད་པར་སྨྲ་བའི་དགེ་ཚུལ་
གྱི་ཚིག་ལེའུར་བྱས་པའི་མཚན་འགྲེལ་ནོར་བུའི་ཕྲེང་བ་
བཞུགས་སོ།།

ཨོཾ་སྭ་སྟི། ཡོན་ཏན་གཞིར་གྱུར་སོ་ཐར་གྱི། །ལམ་སྒྲོལ་འབྱེད་མཁས་ལ་བཏུད་ནས།
།དགེ་ཚུལ་བསླབ་ལ་ངེས་འཇུག་པའི། །མཆན་འགྲེལ་ནོར་བུའི་ཕྲེང་བ་སྦྲོ། །དེ་ལ་
འདིར་དགེ་ཚུལ་གྱི་བསླབ་བྱ་དུས་དང་དངོས་པོ་ལ་ལྟོས་པའི་དགག་སྒྲུབ་ཀྱི་རྣམ་བཞག་
ལེགས་པར་སྟོན་པའི་ཀཱ་རི་ཀཱ་ལྔ་བཅུ་པ་འདི་ཉིད་འཆད་པ་ལ། མཚན་གྱི་དོན། འགྱུར་
གྱི་ཕྱག །གཞུང་གི་དོན། མཇུག་གི་དོན་ནོ། །དང་པོ། རྒྱ་གར་སྐད་དུ། ཨ་རྱ་མཱུ་
ལ་སརྦ་ཨསྟི་པ་དི་ཤྲམ་ཎེ་ར་ཀཱ་རི་ཀཱ། བོད་སྐད་དུ། ཉོན་མོངས་ལས་རིང་དུ་འཕགས་
པ་ཤེས་བྱ་གཞི་ལྔ་འམ་དུས་གསུམ་པོ་ཐམས་ཅད་ཡོད་པར་སྨྲ་བའི་བླ་མའི་བྱ་བ་དང་
ཁ་ཏོན་སོགས་ལ་བརྩོན་ཞིང་ངལ་བས་དགེ་ཚུལ་གྱི་ཚིག་ལེའུར་བྱས་པ། གཉིས་པ།
འདུལ་བ་དང་མཐུན་པར་རྒྱུ་འབྲས་ཕྲ་ཞིབ་སོགས་ཐམས་ཅད་མཁྱེན་པ་སངས་རྒྱས་ལ་
ཕྱག་འཚལ་ལོ། །ཞེས་ལོ་ཙཱ་བས་བཀོད་པའོ། །གསུམ་པ་ལ། བསྟན་བཅོས་རྩོམ་པ་
ལ་འཇུག་པའི་ཡན་ལག་དང་། བརྩམ་བྱ་བསྟན་བཅོས་ཀྱི་རང་བཞིན་དངོས་གཉིས།
དང་པོ་ལ་མཆོད་བརྗོད་དང་། དམ་བཅའ་གཉིས། དང་པོ། ངན་འགྲོ་དང་འཁོར་
བའི་སྡུག་བསྔལ་ལས་སྐྱོབ་པས་མགོན་པོ་དང་ཇི་ལྟ་ཇི་སྙེད་ཀྱི་ཤེས་བྱ་ཐམས་ཅད་མཁྱེན་
པ་སྟེ་དོན་གཉིས་མཐར་ཕྱིན་སངས་རྒྱས་དང་། ལུང་དང་རྟོགས་པའི་ཆོས་དང་། སློབ་
དང་མི་སློབ་བཅས་འཕགས་པའི་ཚོགས་ནི་མང་པོ་ལ་ཕྱག་འཚལ་ཏེ། ཞེས་མཆོད་པར་
བརྗོད་པའོ། །གཉིས་པ། དགེ་ཚུལ་གྱི་ནི་ཚིག་སྤང་བླང་གི་བྱ་བ་རྣམས། ལུང་རྒྱ་
མཚོ་ལྟ་བུ་ལས་བཏུས་ཏེ་མདོར་ཙམ་ལུང་གི་དོན་བཞིན་ངེས་པར་བཤད་པར་བྱ་ཞེས་དམ་
བཅའ་བའོ། །གཉིས་པ་ལ། རབ་ཏུ་བྱུང་ནས་བསླབ་པ་བསྲུང་དགོས་པར་གདམས་
པ་དང་། ཅི་ལྟར་བསྲུང་ཚུལ་རྒྱས་པར་བཤད་པ་གཉིས། དང་པོ། ཤཱཀྱ་ཞེས་རིགས་
དང་། མུ་སྟེགས་དང་ཉོན་མོངས་དང་ཕས་རྒོལ་ཟིལ་གྱིས་གནོན་པ་སེང་གེའི་གསུངས་

པ་ལྟུང་དང་རྫོགས་པའི་བསྟན་པ། བདེན་བཞི་དང་ལས་འབྲས་སོགས་ལ་དྭང་འདོད་ཡིད་ཆེས་ཀྱི་དད་པས་ཡང་དག་པ་ཕོ་ནར་སྐྲ་དང་ཁ་སྤུ་བྲེགས་ནས་གོས་ངུར་སྨྲིག་བགོས་ཏེ་ཁྱིམ་ནས་ཁྱིམ་མེད་པར་རབ་ཏུ་བྱུང་ནས་ནི་ཞེས་འདིས་རབ་བྱུང་རྣམས་ཀྱི་ཕུན་སུམ་ཚོགས་པ་བཞི་བསྟན་ཏེ། དད་པས་ཡང་དག་པ་ཕོ་ནར་ཞེས་བསམ་པ་ཕུན་ཚོགས་དང་། སྐྲ་དང་ཁ་སྤུ་བྲེགས་ནས་གོས་ངུར་སྨྲིག་བགོས་ཏེ་ཞེས་ཚུལ་ཁྲིམས་ཕུན་ཚོགས་དང་། ཁྱིམ་ནས་ཁྱིམ་མེད་པར་ཞེས་གནས་ཕུན་ཚོགས་དང་། རབ་ཏུ་བྱུང་ཞེས་པ་ལས་ཕུན་ཚོགས་སུ་བསྟན་ཏོ། །སྒྲུབ་པ་ཕུན་ཚོགས་ནི། ཕས་ཕམ་བཞི་རང་བཞིན་དང་། ཆང་སོགས་དྲུག་བཅས་པ་སྟེ། བཅས་རང་གི་བརྟུལ་ཞུགས་ཇི་སྲིད་འཚོའི་བར་དུ་གུས་ཧག་གིས་ལུས་ངག་ཡིད་གསུམ་བརྟན་པས་དྲན་ཤེས་དང་ལྡན་པས་རབ་ཏུ་བསྲིམས་ཏེ་ཉེས་པ་ཕྲན་ཚེགས་ཀྱང་མི་འབྱུང་བར་བསྲུང་བའོ། །དེ་ཡང་ཤིང་སྡོང་མི་ཉམས་པར་སྲུང་ན། ར་བ་ཤིང་ཐག་གིས་ཕྱི་ནས་བསྐོར་བ་ལྟར། ཕམ་པ་མི་འབྱུང་བར་བྱ་ན། ར་བ་དང་ཤིང་ཐགས་ལྟ་བུའི་བསླབ་པ་ཕྲན་ཚེགས་རྣམས་མ་ཞིག་ན་ཚུལ་ཁྲིམས་བརྟན་པར་སྲུང་བ་ཡིན་ནོ། །དཔེ་བདག་གི་ལུས་ལ་འགལ་སྐྱོན་མཐུན་སྒྲུབ་བྱེད་པ་བཞིན་བསླབ་པ་བསྲུང་བར་བྱའོ། །གཉིས་པ་ལ། སྔ་དྲོའི་དུས་སུ་བྱ་བ། ཟས་ཀྱི་བྱ་བ་བྱས་པའི་འོག་ཏུ་ཅི་ལྟར་བྱ་བ། རྒྱུན་དུ་བསླབ་པའི་གནས་བཤད་པ། ཕྱི་དྲོ་ཕན་ཆད་ཇི་ལྟར་བྱ་བ། དེ་རྣམས་ཀྱི་འབྲས་བུ་བརྗོད་པའི་སྒོ་ནས་མཇུག་བསྡུ་བའོ། །དང་པོ། མཚན་གཅིག་ལ་ཐུན་ལྔར་བགོས་པས་ནམ་གྱི་ཆ་སྨད་ཐོ་རངས་མལ་ནས་ལངས་ལ་ནམ་ལངས་པའི་བར་དུ་མདོ་སྡེ་ལ་སོགས་པ་ཁ་ཏོན་བྱས་ཏེ་སེམས་ཅན་གྱི་དོན་དུ་བསྔོ་བར་བྱའོ། །སྲོག་ཆགས་མེད་པའི་ཆུ་དང་སོ་ཤིང་གིས། གདོང་གི་དྲི་མ་དང་སོ་ཡི་དྲི་མ་བཀྲུས་ནས། སྤངས་རྟོགས་མཐར་ཕྱིན་པས་རྫོགས་པ། མ་རིག་པའི་གཉིད་ལས་སངས་ཤིང་།

ཞེས་བྱ་བ་ལ་བློ་རྒྱས་པའི་སངས་རྒྱས་ལ་ལུས་ངག་ཡིད་གསུམ་གུས་པས་ཕྱག་འཚལ་
ཏེ་ཆོས་སྤྱོད་གཞན་ཡང་བྱའོ། །མཁན་པོའམ་གནས་ཀྱི་སློབ་དཔོན་ཏེ་བླ་མ་གནས་པའམ་
བཞུགས་པའི་སྒོ་གླེགས་ལ། ལག་པས་དལ་བུའི་ཚུལ་གྱིས་བརྡུང་བར་བྱས་ཏེ་སྒོ་ཕྱེ་
བར་བྱའོ། །ནང་དུ་ཞུགས་ཏེ་གུས་པས་བླ་མ་ལ་ཕྱག་བྱ་ཞིང་། ས་སོགས་འབྱུང་ཁམས་
མ་འཁྲུགས་པས་བདེ་བའམ་འཁྲུགས་པས་མི་བདེ་བ་དང་། མཚན་མོ་བདེ་བར་མནལ་
ལམ་མ་མནལ། དགོངས་པ་ལ་བར་ཆད་དུ་གྱུར་ཏམ་མ་གྱུར་ལ་སོགས་པ་དྲི་བའམ་
ཞུ་བར་བྱའོ། །དེ་ནས་མཆོད་རྟེན་ལ་ཕྱག་བྱ་ཞིང་བསྐོར་བ་དང་། བཤང་གཅི་ཆེ་
ཆུང་འདོར་བ་མ་གཏོགས་སྤྱི་དྲིའི་བྱ་བ་གང་བྱ་བར་འོས་པ་འདི་དག་བྱའམ་ཞེས་དྲིས་
ནས་ནི། དེ་ལྟར་གྱིས་གསུངས་ན། མཆོད་པའི་སྐེགས་སམ་དཀྱིལ་འཁོར་དང་མེ་
ཏོག་དང་བདུག་པ་ལ་སོགས་མཆོད་པ་རྣམ་པར་བྱ་བའི་ཕྱིར་བརྩོན་ཏེ་ལེགས་པར་བྱའོ།
།ཆུ་ཚགས་སམ་ཉ་ཕྱིས་དང་དུང་ཕོར་ལ་སོགས་པ་གསལ་བའི་སྣོད་དུ་ཆུ་བརྟགས་པར་
བྱ་སྟེ། དེ་ཡང་དང་པོ་སྟེང་དང་དེ་ནས་བར་དང་དེ་ནས་གཏིང་རྣམས་རིམ་པ་བཞིན་
ནོ། །གལ་ཏེ་ཉ་ཕྱིས་ལ་སོགས་པ་དེ་དག་མེད་ན་ཡང་། ཁྱོར་བ་ཉིད་དུ་བརྟགས་པའམ་
ཞིང་སོགས་ཀྱི་འདབ་མས་བུམ་པ་དགངས་ཏེ་གང་བར་བརྟགས། དེ་ཡང་ཆུ་ཡི་སྐྱེ་བོ་
སེམས་ཅན་ཆེ་ཆུང་མིག་ལ་སྣང་བ་ཚགས་ལ་ཟིན་པ་རྣམས། ཡུན་རིང་ན་མིག་སྒྲིད་
ནས་མི་རྟོགས་པ་དང་། ཡུན་མི་རིང་བར་འོལ་སྤྱི་ཙམ་གྱིས་མི་རྟོགས་པས། ཡུན་རིང་
ཐུང་འཚམས་པར་མིག་གསལ་བས་ཡང་ཡང་ནན་ཏན་གྱིས་བརྟགས་ཏེ་སྲོག་ཆགས་མེད་
པར་ཡིད་ཆེས་པར་བྱའོ། །སྙིང་རྗེ་ཅན་གྱིས་ཞོའི་ཁ་ཆུ་སོགས་ཁ་ཟས་ཀྱི་ཁུ་བ་རྣམས་
ལ་སྤྱར་མེད་ཀྱང་སྦྲང་བུ་སོགས་གློ་བུར་དུ་འོང་སྲིད་པས་སྲོག་ཆགས་ཡོད་མེད་རབ་ཏུ་
བརྟགས་ཏེ་མེད་ན་སྤྱད་པར་བྱའོ། །གལ་ཏེ་སྲོག་ཆགས་ཡོད་ན་ཆུ་ཚགས་ལྟ་སོགས་

གང་རུང་གིས་མི་འཆི་བར་ལེགས་པར་བཅག་སྟེ། དེའི་ཚེ་ན་སྲོག་ཆགས་རྣམས་ལ་གནོད་པར་མི་བྱ་སྟེ་མི་གནོད་པར་བྱ་དགོས་ལ། གལ་ཏེ་སེམས་ཅན་ཅི་ཙམ་གྱི་གྲངས་ལ་གནོད་ཅིང་ཤི་ན་དེ་ཙམ་གྱི་གྲངས་ཀྱིས་ཉེ་བྱས་སུ་འགྱུར་རོ། །དེས་ན་ཆུ་སྣོད་སོགས་ཁ་མི་དགབ་པ་དང་། ཆུ་ལ་གནས་པ་རྣམས་སྐམ་ལ་བཏོན་པ་དང་། སྐམ་ལ་གནས་པ་རྣམས་ཆུར་འདེབས་པ་སོགས་སེམས་ཅན་ལ་གནོད་འཚེ་སྤང་བར་བྱ་དགོས་སོ། །ཆུ་བཏགས་པ་དེ་ཡང་། དེ་རིང་ལྷ་བུའི་ནངས་པར་བཏགས་ན་ཕྱི་ཉིན་གྱི་ནངས་པར་བར་སྤྱད་རུང་ལ། བདག་གིས་མ་བཏག་ཀྱང་སྤྱད་དུ་རུང་བའི་ཆུ་རྣམ་པ་ལྔ་ནི། ཁོ་ར་ཁོར་ཡུག་འདོམ་གང་དུ་བཏགས་པའི་ཆུ། ཁྲིན་པ་ལ་སོགས་པ། དགེ་སློང་ཡོན་ཏན་ཅན་གྱི་ཆུ། དགེ་འདུན་གྱི་ཆུ་དང་། ཡིད་ཆེས་པའི་ཆུའོ། །དེ་དག་རིམ་པར། དང་པོ་ལྷིང་ཀ་མཚོའུ་ལ་སོགས་པའི་དབུས་སུ་པུས་མོ་ནུབ་ཙམ་སོང་ལ་སྲོག་ཆགས་ཡོད་མེད་བཏགས་ཏེ་མེད་ན་འདོམ་གང་ཁོར་ཡུག་ཏུ་བཏགས་པ་ཡིན་པས་སྤྱད་རུང་བ་དང་། ཁྲིན་པ་སོགས་སྣོད་དུ་བཏགས་ནས་མེད་པར་ཡིད་ཆེས་པ་དང་། དགེ་སློང་ཡོན་ཏན་ཅན་གྱིས་བཏགས་ཤིང་བླངས་པ་དང་། དགེ་འདུན་སྤྱིའི་ཆུ་བཙགས་ཏེ་བཞག་པ་དང་། ལྔ་པ་རི་གཟར་རམ། བྲག་ཁའམ། ས་འོག་ནས་ཇོ་ལ་བ་ལྷ་བུ་རྣམས་སོ། །སྐམ་གནས་ལའང་། རྩ་གདིང་རྐྱུ་དང་ཁང་པ་སོགས་བཀྲུ་བའི་ལྦི་བ་དང་། བུད་ཤིང་དང་ས་ལ་སོགས་པ་མདོར་ན་རང་ལ་དགོས་པ་ཡི་དངོས་པོ་གང་དང་གང་ཡང་རུང་སྟེ་དངོས་པོ་དེ་དག་ལེན་པན་སྲོག་ཆགས་མེད་པར་བྱ་སྟེ། རང་རྒྱུད་ཀྱི་ལུས་ངག་ཡིད་གསུམ་གྱི་ཉེས་པ་སྤྱོང་བའི་སྡོམ་པ་དང་ལྡན་པས་སྲོག་ཆགས་བསད་པ་བསྲུང་དགོས་ཏེ། དེས་ན་མར་མེའི་འོད་ཁང་བྱ་བ་སོགས་ལ་འབད་པར་བྱའོ། །མཁན་པོ་སོགས་ནང་པར་ཁ་གདོང་བཀྲུ་བའི་གནས་སུ། སྣན་འདིང་བ་དང་། བཀྲུ་བའི་ཆུ་དང་ས་དང་སོ་ཤིང་ཞེས་

པས། བཀྲུ་བའི་སོ་ཤིང་དང་། བཤང་གཅི་བྱེད་པའི་གནས་སུ་ས་དང་འདབ་མ་སོགས་བྱ་བ་དང་། རྒྱ་གར་གྱི་བ་ལང་གཞོན་ནུའི་ལྕི་བ་དང་ས་བསྲེས་ཏེ་རིལ་བུར་བྱས་ནས་དེས་བཀྲུ་བའམ། ཡང་ན་བུལ་ཏོག་དང་སྲུག་པ་སོགས་ཀྱིས་འདག་པའི་ཚལ་ཡང་སྨྲ་མོན་བྱ་ཞིང་། བླ་མའི་ལྷུང་བཟེད་བཀྲུ་བ་དང་། གོས་བཀྲུ་ཞིང་གནས་བྱི་དོར་བྱེད་པ་ལ་སོགས་པ་དང་མདོར་ན་བླ་མའི་དགོས་པ་ལས་སུ་བྱ་བ་ཐམས་ཅད་བསྒྲུབ་པར་བྱའོ། །བླ་མའི་དགོས་པ་བྱས་པ་དེ་ནས་སྔ་དྲོ་བཟའ་བཏུང་གི་དུས་རིག་པའམ་ཤེས་པར་བྱས་ནས་མཁན་པོའམ་བླ་མ་ལ་ཕྱག་བྱས་ཏེ། སྔ་མ་དེ་བཞིན་དུ་ལུས་ངག་ཡིད་གསུམ་གུས་པས་ལག་ཐལ་མོ་སྦྱར་ནས་འཚལ་མའམ་ཟས་ཟའམ་འཚལ་ཞེས་བླ་མ་ལ་སྨོས་པ་དང་ལྷན་པའམ་བརྟུལ་ཞུགས་ཅན་གྱིས་དེ་ལྟར་ཞུ་བར་བྱའོ། །དེ་ལྟར་ཞུས་ནས་སྦྱར་བ་ཕུན་ཚོགས། ཁ་དང་ལག་པ་དང་ལྷུང་བཟེད་དག་པར་བཀྲུས་ནས། མིག་གཡས་གཡོན་དུ་མི་ལྟ་ཞིང་། ཁམ་ཏ་ཙང་མི་ཆེ་མི་ཆུང་བ་སོགས་སྤྱོད་པ་ཚུལ་བཞིན་དུ་བྱས་ཏེ། དེ་ནས་ཟས་ཁམ་བཅད་དེ་གཏམ་མི་སྨྲ་བར་མང་ཉུང་ནན་པའམ་ཚོད་ཟིན་པའམ་རིག་པར་བྱ་སྟེ། དེ་ཡང་བསམ་པ་སྟོབས་ཆེ་བ་དང་གཟུགས་མཛེས་པའི་ཕྱིར་ཟ་ན་མི་དགེར་འགྱུར་ལ། ཟས་མ་ཟོས་ན་ཉམ་ཆུང་བས་དགེ་བ་བྱེད་མི་ནུས་པས་དགེ་བ་ལ་སྦྱོར་བཟོད་པའི་དོན་དུ་ཟ་ན་དགེ་བ་འགྱུར་ལ། དེ་གཉིས་ཀ་མིན་ན་ལུང་མ་བསྟན་དུ་འགྱུར་བས་བསམ་པ་ཕུན་ཚོགས། བྲུ་བའམ་བཀྲེས་པའི་ནད་དང་། ལུས་རྗེན་ཉམས་པར་བྱེད་པ་དང་། དགེ་བ་ལ་སྦྱོར་མི་ནུས་པ་ལས་བཟློག་པའི་ཕྱིར། བཟའོ་སྙམ་པའི་སེམས་ཀྱིས་བཟའ་བཅའ་གཉིས་པོ་དེ་ལྟར་ཟོས་ཤིང་དེ་བཞིན་དུ་བཏུང་བ་འཐུང་བ་དང་། བརྟགས་ཤིང་དཔྱད་དུ་རུང་བའི་ཆུ་ནི། ཟོས་འཐུང་། དེའི་འོག་ཏུ་ཆུ་གཙང་གིས་ཁ་ལག་བཀྲུ་ཞིང་ལྷུང་བཟེད་ཀྱང་བཀྲུའོ། །སྦྱིན་བདག་གི་བསྔོ་བ་ངན་པ་བཟློག་པ་དང་།

སྨིན་པ་ཡི་བསོད་ནམས་རྒྱ་ཆེན་པོ་ཡང་དག་པར་སྤེལ་བར་བྱ་བའི་ཕྱིར། སྨིན་པའི་ཚོགས་བཅད་གཅིག་དང་། ཀླུའི་རྒྱལ་པོ་དགའ་བོ་དང་། ཉེ་དགའ་སོགས་ཀྱི་ཕྱིར་ཡང་གཅིག་སྟེ་གཉིས་ཤིག་བརྗོད་པར་བྱའོ། །གཉིས་པ་ནི། དེ་ཉིད་སྒོམ་པ་སོགས་ཀྱི་མན་ངག་ཡོད་ན། འདོད་ཆགས་ཀྱི་གཉེན་པོར་མི་སྡུག་པ་དང་། ཞེ་སྡང་གི་གཉེན་པོར་བྱམས་པ་དང་། གཏི་མུག་གི་གཉེན་པོར་རྟེན་འབྲེལ་དང་། རྣམ་རྟོག་གི་གཉེན་པོ་དབུགས་འབྱུང་རྔུབ་བསྒོམ་པའི་བསམ་གཏན་བྱ་བ་དང་། མེད་ན་རབ་ཏུ་འབབ་དེ་སྡེ་སྣོད་གསུམ་གྱི་གཞུང་བཀླག་པར་བྱ་དགོས་སོ། །གསུམ་པ་རྒྱུན་དུ་བསླབ་པའི་གནས་བཤད་པ་ལ། མདོར་བསྟན་དང་། རྒྱས་བཤད་གཉིས། དང་པོ་ནི། རགས་པ་བཅུ་སོགས་སྒོ་གསུམ་གྱི་ཉེས་སྤྱོད་སྤོང་བས་སྡོམ་པ་དང་། སྤྱོད་ལམ་རྣམ་བཞིའི་བྱ་བ་དེའི་ཚོ་ག་དང་། དེ་ལ་དང་པོར་བླང་དོར་ཚུལ་བཞིན་ཤེས་པས་མཁས་དགོས་པ་དང་། མཁས་པ་ཙམ་གྱིས་མི་ཚོག་པར་དེ་ཁོ་ན་ལྟར་བླང་དོར་ཉམས་སུ་ལེན་པ་དང་། གསོ་སྦྱོང་སོགས་སྒྲུབ་པ་དག་ལ་རབ་ཏུ་བཏུབ་རྩོན་པས་འབད་པར་བྱ་དགོས་སོ། །གཉིས་པ་ལ། ཚུལ་ཁྲིམས་ཀྱི་ཡན་ལག་ཕས་ཕམ་གྱི་གནས་བསྟན་པ་དང་། དེའི་ཡན་ལག་ཏུ་བསླབ་པ་ཕྲ་མོའི་གནས་བཤད་པ་གཉིས། དང་པོ་ལ། སྲོག་གཅོད་ཀྱི་ཕམ་པ་དང་། མ་བྱིན་ལེན་གྱི་ཕམ་པ་དང་། མི་ཚངས་སྤྱོད་ཀྱི་ཕམ་པ་དང་། རྫུན་གྱི་ཕམ་པ་བཞི། དང་པོ་ལ། དངོས་དང་། དེའི་ཆར་གཏོགས་གཉིས། དང་པོ་ལ་ལུས་ཀྱི་སྒོ་ནས་སྲོག་གཅོད་པ་དང་། ངག་གི་སྒོ་ནས་སྲོག་གཅོད་པ་དང་། ཐབས་ཀྱི་སྒོ་ནས་སྲོག་བཅད་པ་དང་གསུམ། དང་པོ་ནི། ཡུལ་བྲི་ཛིར་བཅོམ་ལྡན་འདས་ཀྱིས་དགེ་སློང་མི་གཙང་པ་བསྒོམ་པར་བསྔགས་པ་བརྗོད་པས། དེ་བསྒོམས་པས་ལུས་རྣག་ཅན་འདིས་ཡིད་བྱུང་སྟེ། རང་གིས་དུག་ཟོས་པ་དང་། མཚོན་བསྣུན་པ་དང་། གཡང་ལ་མཆོངས་པ་དང་། འགེགས་པ་སོགས་

བྲིས་པ་དང་། དགེ་སློང་ཞིག་གིས་དབྱིག་པ་ཅན་དགེ་སྦྱོང་སྤྱོད་དམ་སྲུང་པ་ལ། བཞིན་བཟང་ང་སོད་དང་ཆོས་གོས་ཁྱོད་ལ་སྦྱིན་ནོ་སྙམ་པས། དེས་ཀྱང་བསད་ནས་རལ་གྲི་ཆུ་བོ་དགའ་སྐྱེད་ལ་འབྲུརོ། །དེ་ནས་ལྷའི་བུའི་བདུད་ཞིག་ཆུ་རྒྱུན་ལ་མ་རེག་ཙམ་དུ་འདུག་ནས། དབྱིག་པ་ཅན་ལ་བསོད་ནམས་མང་དུ་སྤེལ་ལོ་ཞེས་བསྟོད་པས། དེས་ཆོས་གོས་འདོད་པ་དང་བསོད་ནམས་བྱ་འོ་སྙམ་ནས། རལ་གྲི་མཆན་དུ་བཅུག་སྐེ་གཙུག་ལག་ཁང་ནས་འཆག་སའི་བར་གཅིག་ནས་གཅིག་ཏུ་དགེ་སློང་དྲུག་ཅུའི་བར་དུ་བསད་པ་དང་། དེ་ནས་གསོ་སྦྱོང་བཅོ་ལྔ་པའི་ཚེ་བཅོམ་ལྡན་འདས་ཀྱིས་ཀུན་དགའ་བོ་ལ་རྒྱུ་རྐྱེན་གང་གིས་དགེ་སློང་རྣམས་ཉུང་ཞེས་བཀའ་བསྩལ་པ་དང་། དེས་དེ་བཞིན་ཞུས་པས་དེ་ལ་རྣམ་པ་དུ་མས་སྨད་ནས། ལེགས་པ་བཅུ་གཟིགས་པའི་ཕྱིར་བཅས་པ་མཛད་དོ། །བརྟུལ་ཞུགས་སམ་སྡོམ་པ་ལ་མ་ཉམས་མ་ཞུལ་པར་གནས་པའི་སེམས་སྐྱོ་འབྲུགས་ལ་སོགས་ཀྱིས་མ་ཉམས་པས་གང་ཆེད་དུ་བསམ་ཏེ་གནོད་སེམས་ཀྱིས། ལྷས་སྦྱིན་གསོད་པ་ལ་མཆོད་སྦྱིན་དང་མ་ནོར་བར། ཡུལ་མིའམ་མིར་ཆགས་པ། རང་ལས་གཞན་པ། བདག་གམ་བསྐུལ་ཏེ་གཞན་རྣམས་ཀྱིས་མཚོན་སོགས་ཀྱིས་བསྣུན་ནས་བསད་དེ་དངོས་གཞི་རྫོགས་པ་ན་བརྟུལ་ཞུགས་རྩ་བ་ནས་ཉམས་སྟེ་ཕས་ཕམ་པར་འགྱུར་རོ།

།གཉིས་པ་ནི། ཚུལ་ཁྲིམས་ལྡམ་པའམ་ཚུལ་ཁྲིམས་འཆལ་བ་ལ། རིམ་པ་བཞིན་དུ། ཚུལ་ལྡན་ལ་ཁྱོད་ཤིན་བདེ་འཁྲོར་འཁྲོ་བས་རང་གིས་རང་སོད་ཅེས་པའི་རྐྱེན་གྱིས་ཤི་བ་དང་། ཚུལ་འཆལ་ལ་ཁྱོད་གསོད་ན་སྡིག་པ་འཕེལ་བས་ཤི་ན་དགའ་ཕྱིར་རང་གིས་རང་སོད་ཅེས་དང་། དེ་བཞིན་དུ་ནད་ཀྱིས་བཏབ་པ་ལ། ཁྱོད་ཅི་ཙམ་འཚོ་བ་དེ་ཙམ་དུ་སྡུག་བསྔལ་བར་འགྱུར་བས་རང་གིས་རང་སོད་ཅེས་བསྒོ་བ་ལྟ་བུ་སྟེ། གང་ཐོས་ན་དེ་དག་སྡུག་བསྔལ་གྱིས་ཉམས་ཐག་པས་དུབ་སྟེ། དེའི་ཚེ་ངས་འཆིའི་སྟེ་ངེས་པར་

འཆི་བའི་ཆོས་གདམ་དེ་མི་བྱ་སྟེ་བྱས་ཏེ་དེའི་རྐྱེན་གྱིས་ཤི་ན་ཕམ་པའོ། །གསུམ་པ་ནི། སྨན་གྱིས་བསད་པ། ཁྱིམ་བདག་སྐྱོབས་སྐྱེའི་བུ། ཕུ་བོ་སྐྱེ་པ། ནུ་བོ་ཉི་སྐྱེ་སྟེ། སྐྱེ་པ་ཚོང་དུ་སོང་བའི་ཤུལ་དུ་ཁོའི་ཆུང་མ་ལ་ཉི་སྐྱེས་བུ་ཆགས་ལ། ཉི་སྐྱེ་ཛོ་ཏའི་ཚལ་དུ་རབ་ཏུ་བྱུང་། ཉི་སྐྱེའི་གྲོགས་སྨན་པས་བུ་ཆགས་པ་བཤིག་པས། དེ་ཐམས་ཅད་ལ་གྲགས་པར་གྱུར་ནས། ཉི་སྐྱེ་ལ་སངས་རྒྱས་ཀྱིས། ཁྱོད་ཀྱིས་དེ་ལྟར་བྱས་སམ། བཙུན་པས་དེ་ལྟར་ནི་མ་བགྱིས་ཏེ། རྗེས་སུ་ཡི་རངས་བགྱིས་སོ། །བཅོམ་ལྡན་འདས་ཀྱིས་དེང་ཕྱིན་ཆད་དེ་ལྟར་བྱས་ན་ལྟུང་བར་འགྱུར་བས་མི་བྱེད་པར་བཅས་སོ། །དགེ་སློང་གིས། སྐྱེས་པ། བུད་མེད། མ་ནིང་། གསོད་སེམས་ཀྱིས་ཟས་སྐོམ་སོགས་ཀྱི་ནང་དུ་དུག་སྦྱར་མ་བླུགས་པ་དང་། འཆི་བར་གྱུར་པའི་སྨན་སྦྱིན་པ་དང་། ལྟ་ཕོས་སྦྱར་བའི་སྔགས་དང་། མོས་སྦྱར་བའི་རིག་པ་ཡི་མངོན་སྤྱོད་དང་། གཡང་ས་དང་། མི་དང་གཅན་གཟན་སྡིག་སྦྲུལ་སོགས་འཆི་བའི་ཕྱོགས་སུ་བཏང་བའམ་མངག་པ་དང་། མི་གཞན་ལུས་དག་གི་ཐབས་རྣམས་སྣ་ཚོགས་ཀྱིས། མདོར་ན། གཞི་བསམ་སྦྱོར་བ། མཐར་ཐུག །ཚང་བས་བསད་ན་བརྟུལ་ཞུགས་ཉམས་ནས་ཕམ་པར་འགྱུར་རོ། །གཉིས་པ། ཆར་གཏོགས་ལ། སྦོམ་པོ་དང་། ཉེས་བྱས་གཉིས། དང་པོ། ཕྱོགས་མཐུན་ནམ་ཆར་གཏོགས་བ་ལང་སོགས་དུད་འགྲོའི་རིགས་དང་ནི། སེམས་ཅན་དམྱལ་བ་པ་ཚ་གྲང་དང་ཉི་ཚེ་ཉི་འཁོར་བ་དང་། ཡི་དྭགས་ཀྱི་སྐྱེ་ཚན་དང་། འོན་ཏེ་འདོད་གཟུགས་ཀྱི་ལྷ་ཡང་རུང་། དགེ་སློང་གིས་གསོད་སེམས་ཀྱིས་བསད་ན་ངན་འགྲོར་ལྟུང་བ་ཡི་སྡིག་པ་སྦོམ་པོ་ཞེས་བྱ་བ་ཐོབ་པར་འགྱུར་རོ། །གཉིས་པ་ནི། རྟེན་པ་རྟུལ་ཞུགས་ཅན་གྱིས། སེམས་ཅན་གཞན་ཀུན་སློང་བསད་སྙམས་ཏེ་གསོད་འདོད་དང་ལུས་ཀྱིས་རྡོ་སོགས་འཕངས་པ་དང་། ངག་གིས་སོད་ཅིག་ལ་སོགས་པའི་བཤམས་པ་ལས། གལ་

ཏེ་སྐྱེ་བོ་དེ་མ་ཤི་བར་གསོན་པར་གྱུར་ན་ཡང་། དེ་ལ་ནི། སེམས་དང་ལུས་དང་ངག་གི་ཁ་ན་མ་ཐོ་བ་རྣམ་པ་གསུམ་འབྱུང་བར་འགྱུར་བ་དང་། གསོད་སེམས་མེད་པར་ཁྲོ་བའི་སེམས་ཀྱིས་སེམས་ཅན་གཞན་ལ་རྡོ་དང་དབྱུག་པ་ཁུ་ཚུར་གྱིས་ཡང་ཡང་འཚོགས་པ་དང་། དེ་ལས་གཞན་ཐལ་མོ་བསྣུན་ནམ། ལྕག་གིས་གཞུས་སམ། ཚ་བའི་ཆེ་ཚ་བ་དང་། གྲང་བའི་ཆེ་གྲང་བ་ལ་བོར་བ་ལ་སོགས་པའི་གནོད་པ་དང་། རྟ་དང་བ་ལང་སོགས་ལ་ཁལ་འགེལ་བ་དང་བརྡེག་པ་ལ་སོགས་པའི་གནོད་པ་རྣམས་མི་བྱའོ། །དགེ་སློང་གིས། རྟ་དང་གླང་པོ་ལ་སོགས་པ་མི་ཞོན་ནོ་སྐེ་ཞོན་ཏེ་འགྲོ་བར་མི་བྱའོ། །གཉིས་པ་མ་བྱིན་ལེན་པའི་ཕམ་པ་ལ། ཕམ་པ་དངོས་བརྗོད་པ་དང་། ཉེས་བྱས་བསྟན་པ། དེ་དག་གི་གཞི་ཡོངས་སྤྱོད་ཀྱི་རྣམ་གྲངས་བཤད་པ་གསུམ། དང་པོ། བཅོམ་ལྡན་འདས་རྒྱལ་པོའི་ཁབ་བྱ་ཀ་ལན་ད་ཀ་གནས་པ་ན་བཞུགས་སོ། །དེའི་ཚེ་སྔོན་རྫ་མཁན་ལས་རབ་ཏུ་བྱུང་བ་དགེ་སློང་ནོར་ཅན་ཞེས་བྱ་བ་ཞིག །རྒྱལ་པོའི་ཁབ་ཀྱི་དགོན་པ་ན་སྤྱིལ་པོ་བྱས་ནས་གནས་པ་དེ་གྲོང་དུ་བསོད་སྙོམས་ལ་ཕྱིན་ཚེ། ཕྱུགས་རྫི་སོགས་ཀྱིས་སྤྱིལ་པོ་བཤིག་སྟེ་རྩྭ་ཤིང་ཁྱེར་སོང་། དེ་འདྲ་ཡང་བརྩིག་ཡང་བཤིག་ཏུ་མ་བྱས་མཐར། འདི་ཉོན་མོངས་ཏེ་སྙམ་ནས། རྫ་མའི་སྤྱིལ་པོ་དམར་མཛེས་ཞིག་བྱས་སོ། །དེ་ཚེ་བཅོམ་ལྡན་འདས་གནས་ཀྱུ་བས་གཟིགས་ཏེ། འདི་སུ་ཡི་ཡིན། ནོར་ཅན་གྱི་ལགས་སོ། །འདི་ལྟ་བུའི་ཕྱིར་མུ་སྟེགས་པ་རྣམས་ང་ལ་འཕྱ་བར་འགྱུར་གྱིས། འདི་ཤིག་ཅིག་གསུངས་པས་དགེ་སློང་རྣམས་ཀྱིས་བཅོམས་པ་དང་། དེ་ནས་ཡང་ནོར་ཅན་གྱིས་བསམས་པ། རྒྱལ་པོའི་ཁབ་ཀྱི་ཤིང་སྲུང་གི་དཔོན་དང་། བདག་མཛའ་བས། ཤིང་ཁང་བྱའོ་སྙམ་ནས། ཤིང་སྲུང་ལ་ལྟས་ཤིང་བྱིན་པ་འོན་ཅིག །ཅེས་སྨྲས་པ་དང་། ཤིང་སྲུང་དཔོན་གྱིས་ལྟས་ཕུལ་ན་ཅི་བདེར་སྐྱོད་ཅིག་ཞེས་སྨྲས་པས། རྒྱལ་པོའི་ཁབ་ཀྱི་ཞིག་རལ་བཅོས་

པས་ཤིང་དུ་མ་ཞིག་གཤམས་གཏུབ་སྐེ་ཁྱེར་བ་གྲོང་ཁྱེར་བསྲུང་བའི་དཔོན་གྱིས་མཐོང་
ནས་མ་སྐྱེས་དགྲ་ལ་སྨྲས་སོ། །དེས་ནོར་ཅན་བཀུག་ནས། ཁྱོད་ཤིང་མ་བྱིན་པར་
ལེན་རུང་ངམ་སྨྲས་པ་དང་། མི་རུང་ཡང་ལྷས་གནང་ངོ་། །ནམ་གནང་སྙོན་ཡབ་
ཀྱིས་ལྷ་ཁྱོད་རྒྱལ་པོར་དབང་བསྐུར་ཆེ། ངའི་ཡུལ་ན། དགེ་སློང་བྲམ་ཟེ་རྩ་ཤིང་ཆུ་
མ་བྱིན་པར་མི་སྤྱོད་པ་དེ་ཐམས་ཅད་ཅི་བདེར་སྤྱོད་ཅིག་ཅེས་ཁྱུ་མཆོག་གི་སྒྲ་ཆེན་པོ་
བསྒྲགས་པ་མི་དགོངས་སམ། དེ་ནི་ཡོངས་སུ་མ་བཟུང་བ་ལ་བྱའི། ཡོངས་སུ་བཟུང་
བ་ལ་ནི་མིན་ནོ་ཞེས་སྨྲས་པ་དང་། ཡོངས་སུ་མ་བཟུང་བ་ནི་རྒྱལ་པོས་གནང་ཅི་དགོས་
ཞེས་གསོལ་བས། རྒྱལ་པོ་ཤིན་ཏུ་ཁྲོས་ནས་མ་བྱིན་ལེན་པའི་དགེ་སློང་བསད་པར་རིགས་
ན། ད་ཕན་ཆད་དེ་ལྟར་མ་བྱེད་ཅིག་ཅེས་སྨྲོས་ནས་བཏང་ངོ་། །དེ་ལྟར་སངས་རྒྱས་
ཀྱིས་གསན་ནས་དེ་ལ་རྣམ་པ་དུ་མ་སྨད་དེ་བཅས་པར་མཛད་དོ། །དགེ་ཚུལ་བདག་
གམ་བསྐུལ་ཏེ་གཞན་རྣམས་ཀྱིས་དགེ་བའི་སེམས་མིན་པར་རྐུ་སེམས་ཀྱིས། ཚུལ་དངོས་
སུ་བཙན་ཐབས་མཐུ་དང་། ཀླག་དུ་འཇབ་བུ་ཡི་རྐུ་བ་དང་། གཡོ་སྒྱུ་སོགས་ཀྱིས།
འདུ་ཤེས་འཁྲུལ་པ་མེད་པར་ཡུལ་མི་ཡི་འགྲོ་བ་གཞན་གྱི་གནས་ནས་གསེར་མ་ཤ་ཀ་
ལྔ་ཙམ་མམ། ཕ་རོལ་པོ་རྒྱུ་བདག་རང་གི་ཡུལ་ནས་བྱུང་བ་གང་ཞིག །ཀར་ཥ་པ་
ཎིའི་བཞི་ཆ་ཙམ་འཕྲོག་པའམ་བརྐུས་པ་སོགས་ཀྱིས་རིན་ཐང་ཚང་བའི་དངོས་པོ་དེ་བརྐུས་
པ་དང་འཕྲོག་པ་སོགས་ཀྱི་ལྷངས་ཏེ་ཐོབ་བློ་སྐྱེས་པ་ན་ཕམ་པའམ་ཚུལ་ཁྲིམས་རྩ་བ་ནས་
ཞིག་སྟེ་ཕམ་པར་འགྱུར་རོ། །དེ་ལ་ཀར་ཥ་པ་ཎིའི་བཞི་ཆ་ལ་མ་ཤ་ཀ་ལྔ་དང་། མ་
ཤ་ཀ་གཅིག་ལ་མགྲོན་བུ་བརྒྱད་ཙུའི་ཚད་དེ། རིན་ཐང་གི་ཚད་དེ་ལ་རྒྱ་གར་གྱིས་གཞལ་
ན་དངུལ་ཞོ་ཅིག་ཙམ་ཞེས་ཀ་ཤིས་གསུང་། ཁ་ཅིག་གིས་ཞོ་གཅིག་གི་བརྒྱད་ཆ་ལའང་
གསུང་། དེ་ཡང་རང་ཡུལ་ནས་རྐུ་དུས་སོགས་ཀྱིས་དུས་དེ་ཉིད་ལ་ལྟོས་ཏེ་རིན་ཐང་

ཚང་པ་དགོས་སོ། །གཉིས་པ་ནི། དངོས་གཞི་མ་ཚང་བར་རྐུ་སེམས་ཀྱིས་སྟན་ལས་ལྡང་བ་སོགས་སྦྱོར་བའི་ཚེ་ན་བཤགས་བྱའི་ཉེས་བྱས་སོ། །གསུམ་པ་ནི། ཡུངས་ཏོག་སོགས་ཏོག་གུ་དང་། སླ་སྣང་སོགས་རྩ་བ་དང་། ཨ་རུ་སོགས་འབྲས་བུ་དང་སྐྱེས་ཤིང་ཤིང་སོགས་དང་། སླེ་ཏྲེས་སོགས་སྡོང་བུ་དང་། ཤིང་སོགས་ཀྱི་ལོ་མ་དང་། གྲོ་ག་སོགས་ཤུན་པ་དང་། ཁྲུས་དང་བཏུང་བ་སོགས་ཀྱིས་ཆུ་དང་། མེ་ཏོག་གང་ཞིག་ཆུ་ལས་སྐྱེས་པ་དང་ཐང་ལས་སྐྱེས་བ་བརྐུ་བ་དང་། ཞིང་གི་སྨུ་བརྐུ་བ་དང་། ཤགས་ཀྱིས་བརྩད་པའམ། ར་བ་སོགས་བསྐོར་ཏེ་ཞིང་བརྐུ་བ་དང་། ཐན་པ་ཆེ་ཆེ་གཞན་ཞིང་གི་ཆུ་གཅོད་ཅིང་རང་གི་ཞིང་ལ་འདྲེན་པའམ། ཆར་ཆེ་ཚེ་དེ་ལས་བཟློག་པས། བདག་གི་ལོ་ཏོག་ལེགས་གཞན་གྱི་ལོ་ཉེས་པར་བྱས་པ་དང་། ཁང་པ་དང་ཚོང་དུས་ལྟ་བུའི་ས་གཞི་དང་། གྲུབ་རྐུ་བསམས་ཏེ། ཆུ་རྒྱུན་ལས་གྱེན་དང་། ཐུར་དང་། ཐད་ཀར་བརྐུ་བ་དང་། ས་འོག་སྦས་ནས་གྲུ་མི་སྣང་བར་བྱས་པ་དང་། བྱུད་ཤིང་སོགས་ཤིང་དང་། ཤོ་གམ་མ་བྱིན་པ་དང་། དེ་བཞིན་དུ་གྲུ་ཡི་བཙས་སམ་གླ་མ་བྱིན་པ་རྣམས་དང་། སྲོག་ཆགས་རྐང་པ་མེད་པ་སྦྲུལ་སོགས་དང་། རྐང་གཉིས་མི་དང་བྱ་ལྟ་བུ་དང་། རྟ་ནོར་སོགས་རྐང་མང་བརྐུ་བ་དང་། བརྟུལ་ཞུགས་ཅན་གྱིས་གཞན་མི་ཡི་ནོར་དབྱིག་གམ་གསེར་དངུལ་ལ་སོགས་པ་དངོས་པོ་གང་དང་གང་ཡང་རུང་སྟེ། རྐུ་བའི་སེམས་ཀྱིས་དངོས་པོ་གང་བརྐུས་ཀྱང་རིན་ཐང་ཚང་ན་སྡོམ་པ་ཞིག་པས་ཕམ་པར་འགྱུར་ལ། སོགས་སྨྲས། རྒྱུ་དང་སྐྱེ་སོགས་ཀྱིས་བཟུང་བ། བདག་དོན་མིན་གྱི་ཕ་རོལ་ལ་གནོད་པ་བྱ་བའི་བསམ་པས་བརྐུ་ནའང་ཕམ་པ། གཉིས་ཀ་ལ་ཕན་གནོད་མེད་པའི་བསམ་པས་བྲལ་ཞིང་བསྲིགས་ན་སྦོམ་པོ། །སྙིང་རྗེས་དྲལ་ན་ཉེས་བྱས་སོ། །གཉིས་ཀ་ལ་མི་ཕན་པའི་བསམ་པས་བཏང་ན་སྦོམ་པོ། །སྙིང་རྗེས་བཏང་ན་ཉེས་བྱས་སོ། །རིན་ཐང་མ་

ཚང་པ་སོགས་ཀྱིས་ཀྱང་སྲོམ་པོ་སོགས་སུ་འགྱུར་རོ། །ཕྱོགས་མཐུན་ལྷུང་བཟེད་དང་ཆོས་གོས་ལ་སོགས་འཚོ་བའི་ཡོ་བྱད་ཀུན་མས་ཁྱེར་ན། ཆོས་བཤད་ནས་ནི་ཕ་རོལ་པོས་སྟེར་ན་བསྒྲུབ་པར་བྱ་ཞིང་། ཡང་ན་རི་བའི་རིན་གྱིས་བླུ་དགོས་ལ། དེ་ལྟར་མ་བྱས་པར་ནན་གྱིས་བླང་ན་ཉེས་བྱས་སོ། །གསུམ་པ་མི་ཚངས་སྤྱོད་ཀྱི་ཕམ་པ་ལ། བསྲུང་བྱ་དངོས་དང་། དེ་བསྲུང་དགོས་ཚུལ་གཉིས། དང་པོ་ནི། བཅོམ་ལྡན་འདས་ཡུལ་ཀ་ལན་ད་ཀ་གནས་པའི་གྲོང་ན་བཞུགས་སོ། །དེའི་ཚེ་ཁྱིམ་བདག་བཟང་བྱིན་ཞེས་བྱ་བ་རབ་ཏུ་བྱུང་ནས་གནས་པ་ལས། དེའི་མས། བུ་ཁྱོད་ཀྱི་ཁྱིམ་དུ་ཕ་མའི་ནོར་རྒྱ་ཆེན་པོ་ཡོད་པ་ལ། བདག་ཅག་བཟའ་བྲན་རྣམས་ཏེ་ཤི་བར་གྱུར་ན་ཀུན་ཀྱང་རྒྱལ་པོའི་ནོར་དུ་འགྱུར་བས། ཁྱོད་སླར་འབབས་སུ་མི་རུང་ནའང་། ས་བོན་ཙུང་ཟད་ཅིག་ཞིག་ཅིག་བྱས་ནས། དེས་སྔར་གྱི་ཆུང་མ་ཟླ་མཚན་ལྡན་ཞིང་དུས་ལ་བབ་པ། རྒྱན་གྱིས་བརྒྱན་ཏེ་ཁྲིད་འོང་བ་དང་། དེས་སྤྱད་དོ། །དེ་ནས་དུས་མི་རིང་བ་ཞིག་ན། རྒྱལ་པོས། དུག་གསུམ་གྱི་ཉེས་པ་བཤད་པས། བཟང་བྱིན་ཉེས་པ་དྲན་ནས་འགྱོད་ཅིང་མི་དགའ་བ་ལ། དགེ་སློང་རྣམས་ཀྱིས་དྲིས་པས། དེས་དྲང་པོར་སྨྲས་སོ། །དེ་སངས་རྒྱས་ལ་གསོལ་བས། བཟང་བྱིན་ལ་རྣམ་པ་དུ་མས་སྨད་ནས་བསླབ་པ་བཅས་སོ། །སྡོམ་པ་ཅན་འདུ་ཤེས་ཉམས་པ་མེད་པའི་སེམས་ཀྱིས། རུལ་པ་དང་འབུ་ཞུགས་པ་སོགས་ཀྱི་ཉམས་པ་མེད་པའི་རྨ་ཡི་སྒོ་གསུམ་པོ་གང་རུང་སྤྱད་བཟོད་དུ། སེམས་ཆགས་པས་བརྩལ་ཏེ་ལས་རུང་གི་ནོར་བུ་པགས་སྲུབས་སོ་ལས་རྩེ་མོ་ནང་དུ་འདས་ཏེ་མཐར་ཐུག་རེག་པའི་དགའ་བ་ལུས་ཀྱིས་ཚོར་ཞིང་ཡིད་ཀྱིས་དང་དུ་བླངས་ན་བརྟུལ་ཞུགས་ཉམས་ཏེ་ཕམ་པར་འགྱུར་ལ། བདག་དགེ་སྦྱོང་མཐུ་ཆུང་ཞིང་ཞན་པ་ལ། སྐྱེས་པ་དང་། བུད་མེད་དང་། མ་ནིང་གི། ཚན་ཀར་པོར་ཏེ་སྟེ་ཤེད་ཀྱིས་མནན་ནས་བདག་དང་དེ་དག་

གི་སྒོ་གསུམ་གང་ཡང་རུང་བར་བཅུག་པ་ལས། གང་གི་བདེ་བའི་རོ་མྱོང་བ་བདག་གིར་བྱེད་ན་དེ་ཡང་སྡོམ་པ་ཞིག་པས་ཕམ་པར་འགྱུར་རོ། །གཉིས་པ་ནི། ཡན་ལག་སྐྱེས་ཕོ་དབང་ལས་སུ་རུང་ནས། འདོད་བདེ་འདོད་པ་བས། ཤིན་ཏུ་གདུག་པ་སྦྲུལ་གྱི་ཁར་བཅུགས་ཏེ་ཤི་ཡང་བླ་ཡི། ལུས་ལ་རང་གི་སྡོམ་པ་ཕམ་པས་མི་གཏོང་ངམ་མི་གཞིག་ཅེས་རྫོགས་པའི་སངས་རྒྱས་ཀྱིས་བཀའ་བསྩལ་ཏོ་སྙེ་གསུངས་སོ། །དེས་ན་གལ་ཏེ་དེ་ལྟར་སྦྲུལ་གྱིས་བསད་པར་གྱུར་ཀྱང་ཚུལ་ཁྲིམས་དག་པར་གནས་པ་ལ་དེ་ཕན་བྱེད་དུ་སོང་བ་ཡིན་ཏེ། རྒྱུ་དེས་བདག་གི་ཚུལ་ཁྲིམས་ཞིག་པའི་གོ་བཀག་པ་དང་། ཕྱི་མ་མཐོ་རིས་སུ་སྐྱེ་བའི་ཕྱིར་རོ། །ཚུལ་ཁྲིམས་ཉམས་པ་ནི་སྡུག་བསྔལ་བ་ཡིན་ཏེ། ཕྱི་མ་ངན་སོང་གསུམ་དུ་སྐྱེ་བའི་ཕྱིར་དང་། དེས་མྱ་ངན་ལས་འདས་པ་ལའང་སྒྲིབ་པར་འགྱུར་ཏེ། དེའི་སྐལ་བ་མེད་པས་སོ། །བཞི་པ་རྫུན་གྱི་ཕམ་པ་ལ། ཕམ་པ་དངོས་དང་། དེ་ལས་གཞན་པའི་ངག་གི་ཉེས་པ་གཉིས། དང་པོ་ནི། བཅོམ་ལྡན་འདས་ཡུལ་ཡངས་པ་ཅན་གྱི་སྤྲེའུ་རྫིང་གི་འགྲམ་ན་བཞུགས་སོ། །དེའི་ཚེ་མུ་གེ་ཆེན་པོ་བྱུང་ནས། ཕ་མ་ཡང་བུ་ལ་ཁ་ཟས་མི་སྟེར་བ་ཙམ་དུ་གྱུར་ཚེ། དགེ་སློང་རྫུ་འཕྲུལ་ཅན་དང་གནས་བརྟན་རྣམས་ནི། བྱང་སྒྲ་མི་སྙན་སོགས་ཡུལ་གཞན་འགྲོར་ཞིང་རྒྱས་པར་སོང་ནས་བདག་ཉིད་ཀྱང་ཟ་གཞན་ལའང་སྟོབ་བོ། །དེར་ཉ་པ་ལས་རབ་ཏུ་བྱུང་བའི་དགེ་སློང་ལྔ་བརྒྱ་པོ་དག་གིས། རྫུ་འཕྲུལ་ནི་མ་ཐོབ། ཐོས་པ་ཉུང་བས་དེ་ལྟར་མ་ནུས་ནས། སོ་སོའི་ཡོན་ཏན་བསྒྲགས་ཏེ་སྙེད་པ་བསྒྲུབ་པར་བྱའོ་སྙམས་ཏེ། གཅིག་གིས་གཅིག་གི་ཡོན་ཏན་བསྒྲགས་ཏེ། འདིས་རྒྱུན་དུ་ཞུགས་པའི་འབྲས་བུ་ཐོབ་བོ་སོགས་འབྲས་བུ་བཞི་དང་། འདིས་འཇིག་རྟེན་པའི་ལམ་གྱི་འབྲས་བུ་གྲུབ་བོ། །འདི་ནི་སྡེ་སྣོད་གསུམ་སྨྲ་བའོ་ཞེས་སོགས་ཀྱིས་ཟས་སྙེད་ལུས་བརྟས་སོ། །དེ་ནས་དབྱར་འདས་

ནས་ཚུར་བྱུང་སྟེ། བཅོམ་ལྡན་འདས་ལ་ཕྱག་འཚལ་དུ་ཕྱིན་པས་དང་པོ་ཀུན་དགའ་
བོ་དང་འཕྲད་ནས་དེས་དགེ་སློང་གཞན་རྣམས་ཟས་ཀྱིས་ཡོངས་ཤིང་ཉམས་ང་བར་གྱུར་
ན། ཁྱེད་ཅག་འཚོ་བའི་རྒྱུ་མཚན་ཅི་ཞེས་དྲིས་པས་དྲང་པོར་བརྗོད། ཁྱེད་རྣམས་ལ་
ཡོན་ཏན་དེ་ཡོད་པས་བརྗོད་དམ། མེད་པས་བརྗོད། མེད་ཀྱང་བརྗོད་དོ། །དེ་ལ་
དགེ་སློང་རྣམས་ཀྱིས་དེ་ལྟར་མི་རིགས་པར་སྨྲས་པས་དེ་རྒྱལ་བས་གསན་ནས་དེ་ལ་རྣམ་
པ་དུ་མས་སྨད་དེ་བཅས་སོ། །ལྷ་དག་གི་གཟུགས་མངོན་སུམ་དུ་མཐོང་ངོ་ཞེས་དང་།
ལྷ་དེ་ཡི་ངག་གི་སྒྲ་མངོན་སུམ་དུ་ཐོས་པར་གྱུར་ཏོ། །ཞེས་དང་། ལྷ་དག་དང་བདག
ཕན་ཚུན་ཀུན་ཏུ་གཏམ་སྨྲས་སོ་ཞེས་དེ་གསུམ་གང་སྨྲས་ཀྱང་ཕམ་པར་འགྱུར་བ་དང་།
དེ་བཞིན་དུ་གང་ན་བདག་འདུག་པ་དེར་ལྷ་རྣམས་འོང་ཞིང་། བདག་ཀྱང་ལྷ་དེ་ཡི་དྲུང་
དུ་འགྲོ་འོ་ཞེས་དང་། དེ་བཞིན་དུ། དྲི་ཟ་དང་། བུམ་སྣ་སོགས་གྲུལ་བུམ་དང་། དྲུང་
སྲིན་སོགས་ཀླུ་དང་། རྣམ་ཐོས་བུ་སོགས་གནོད་སྦྱིན་དང་། ལྟོ་འཕྱེ་ཆེན་པོ་དང་། ཤ་
ཟ་དང་ཡི་དྭགས་དང་། དུད་འགྲོ་མིའི་རྟེན་ཅན་མིའམ་ཅི་སྟེ་དེ་དང་དེའི་གཟུགས་མཐོང་
ངོ་ཞེས་དང་། ལ་སོགས་པའི་སྒྲས། སྒྲ་ཐོས་སོ། །དེ་དང་གཏམ་སྨྲས་སོ། །དེ་དག་
བདག་གི་དྲུང་དུ་འོང་། བདག་ཀྱང་དེ་དག་གི་དྲུང་དུ་སོང་ངོ་ཞེས་གང་སྨྲས་ཀྱང་ཕམ་
པར་འགྱུར་བ་དང་། ངོ་བོའི་སྒོ་ནས་བསམ་གཏན་དང་པོ་སོགས་བཞི་དང་། ལྷའི་
མིག་གི་མངོན་ཤེས་སོགས་དྲུག་དང་། ཚངས་སོགས་ཚད་མེད་བཞི་དང་། ཟག་མེད་
རྒྱུན་ཞུགས་ལ་སོགས་འབྲས་བུ་བཞི་དང་། ཚོགས་ལམ་སོགས་འདས་པའི་ལམ་ལ་རབ་
ཏུ་ཞུགས་པའང་རུང་སྟེ། དེ་ལྟ་བུའི་ཡོན་ཏན་རྣམས་བདག་གིས་ཐོབ་ཅེས་སྨྲར་ན་ནི།
ཡུལ་དོན་གོ་ཞིང་རིག་པ་ལ་བརྟེན་པའི་ཚིག་གི་ཁྱེ་བྲག་ཡོན་ཏན་ཁྱད་པར་བ་ཐོབ་པའི་
བདག་ཉིད་ཅན་དེ་ལྟ་བུ། འདུ་ཤེས་མ་ཉམས་པར། ཐོབ་རློམ་གྱི་མངོན་པའི་ང་རྒྱལ་

མེད་བཞིན་དུ་སྨྲས་ན་བརྟུལ་ཞུགས་ཉམས་ཏེ་ཕམ་པར་འགྱུར་རོ། །དེ་ལ་སྔོན་དགེ་སློང་ཞིག་དགོན་པར་གནས་པ་ན། འཇིག་རྟེན་པའི་ལམ་གྱིས་ཉོན་མོངས་བཅོམ་སྟེ་མི་འབྱུང་བ། ཕྱིས་བརྟགས་ཏེ་མི་སྐྱེ་བར་བསམ་ནས། བདག་གི་ས་ཉོན་མོངས་སྤོང་ངོ་ཞེས་བསམ་ཞིང་བརྗོད། སླར་གྲོང་དུ་སོང་ཚེ། བུད་མེད་དང་དགྲ་སོགས་མཐོང་བས་ཉོན་མོངས་སླར་སྐྱེས་པས། བདག་གིས་མི་ཆོས་བླ་མའི་རྫུན་སྨྲས་སམ། །ཞེས་སངས་རྒྱས་ལ་དྲིས་པས་མངོན་པའི་ང་རྒྱལ་ཅན་ནི་མ་གཏོགས་སྟེ། སླན་ཆད་དེ་ལྟ་བུའི་ཁྱད་པར་ཐོབ་ཀྱང་སྨྲ་བར་མི་བྱའོ། །ཞེས་གསུངས་པ་ལྟ་བུའོ། །ཡང་དགེ་སློང་གིས་འདུ་ཤེས་སྨྲས་ཏེ་ལྷ་ཀླུ་སོགས་མཐོང་བ་དག་ཡོད་དོ་ཞེས་རང་མིན་པར་སྨྲས་ན་སྦོམ་པོ། འཕགས་པ་རྣམས་ལ་མི་མིན་གྱིས་མི་འཚེ་སྟེ་བདག་ལའང་མི་འཚེ་ཞེར་ན་ཕམ་པ་སོགས་སོ།

།གཉིས་པ་ལ། རྫུན་སོགས་ངག་གི་མི་དགེ་བ་སྤང་བྱར་བཤད་པ་དང་། ཞར་ལ་དགེ་སློང་གི་ཆོས་བཞི་བླང་བྱར་བསྟན་པ་དང་། འདིར་མ་བཤད་པའི་ངག་གི་སྐྱོན་གཞན་ཡང་སྤང་དགོས་པར་གདམས་པ་དང་གསུམ། དང་པོ། ཕྱོགས་མཐུན་གོང་བཤད་ལྟར་ཡོན་ཏན་ཁྱད་པར་ཅན་དེ་འདྲ་བ་ཐོབ་པར་སྨྲས་པ་མ་གཏོགས་པར། དེ་ལས་གཞན་པའི་ཤེས་བཞིན་དུ་བརྫུན་གྱི་ཚིག་རྣམས། གང་དང་གང་སྨྲས་པ་དེ་དག་ཐམས་ཅད། བསོད་ནམས་མ་ཡིན་པ་སྡིག་པ་མང་དུ་འཕེལ་བར་འགྱུར་ལ། དེས་ནི་འོག་མར་ཏེ་ངན་སོང་གསུམ་དུ་ལྷུང་སྟེ་སྡུག་བསྔལ་མྱོང་བར་འགྱུར་རོ། །དེ་ལྟར་ཕན་ཚུན་ཡིད་མཐུན་ཞིང་མཛའ་བོར་གྱུར་པ་ལ་ཞེ་སྡང་སོགས་ཀྱི་སྒོ་ནས་འཐབ་ཅིང་སོ་སོར་འབྱེད་པར་འགྱུར་བས། ཕྲ་མའི་ཚིག་རྣམས། བདེན་ནམ་རྫུན་ཀྱང་རུང་། ཕན་ཚུན་བསྐྱལ་ཞིང་སྨྲ་བར་མི་བྱའོ། །དགོས་པའི་དོན་མེད་པར་ངག་ཀྱལ་དང་། བྲེ་མོའི་གཏམ་སོགས་བྱུན་ཚགས་སུ་ནི་སྨྲ་བ་དང་། གཞན་གྱི་ཞེ་གཅོད་པའི་ཚིག་རྩུབ་དག་ཀྱང་སྨྲ་བར་མི་བྱའོ།

།གཉིས་པ་ནི། ཕ་ཤ་ཟི་ཞིག་སོགས་དང་། རིགས་རུས་སོགས་ཀྱིས་ངན་དུ་ཟེར་བ་ལ་སླར་ངན་པ་ལན་དུ་མི་བརྗོད་པ་དང་། ཚིག་རྩུབ་མོས་གཤེ་བ་ལ་ཡང་སླར་མི་གཤེ་བ་དང་། ཅོ་འདྲི་བའམ་སྐྱོན་གྱིས་མཚང་འབྲུ་བ་ལ་སླར་ལན་དུ་མཚང་མི་འབྲུ་བ་དང་། རྡོ་དབྱུག་སོགས་ཀྱིས་བརྡེག་པ་ལ་ཡང་སླར་མི་བརྡེག་པ་སྟེ། དགེ་སྦྱོང་དུ་བྱེད་པའི་ཆོས་བཞི་པོ་འདི་དང་དུ་བླང་བར་དགོས་སོ། །གསུམ་པ་ནི། བློ་ཤེས་རབ་དང་ལྡན་པ་བསླབ་པའམ་སྡོམ་པ་གཅེས་སྤྲས་ཀྱིས་བསྲུང་བར་འདོད་པ་ཡིས། ནན་ཏན་གྱིས་བསྒྲིམས་ཏེ་རྒྱལ་པོ། ཆོམ་པོ། ཚོང་ལ་སོགས་པའི་གཏམ་སྨྲས་པའི་ངག་གི་སྐྱོན་རྣམས་སྤངས་དགོས་པར་འདུག་པ་དེ་ལྟར་འགྱུར་བར་རིག་པར་བྱས་ནས་ནི། ངག་རྣམས་ཤིན་ཏུ་བསྡམ་པར་བྱ་དགོས་སོ། །གཉིས་པ་བསླབ་པ་ཕྲ་མོའི་གནས་ལ། བག་ཡོད་ཀྱི་ཡན་ལག །བརྟུལ་ཞུགས་ཀྱི་ཡན་ལག །བསོག་འཇོག་གི་རྩ་བ་གསེར་དངུལ་ལེན་པ་སྤང་བ། དེར་མ་འདུས་པའི་སྤང་བླང་གི་རྣམ་པ་གཞན་བཤད་པ་དང་བཞི། དང་པོ་ལ། སྤང་བྱ་སྨྱོས་འགྱུར་གྱི་བྱེ་བྲག་བཤད་པ་དང་། དེ་སྤངས་པའི་དགོས་པ་གཉིས། དང་པོ། ནས་འབྲས་སོགས་འབྲུ་བཏགས་ནས་ཕབ་དང་སྦྱར་བ་ཡི་ཟན་ཆང་དང་། བཏུང་བའི་བྱེ་བྲག་གནས་ལ་སོགས་པའི་འབྲུ་ཡི་ཆང་དངོས་དང་། བུར་ཤིང་ལ་སོགས་པ་སྡོང་བུ་ཡི་དང་། སྦྲང་ཆང་དང་། ན་ལེ་ཀེར་སོགས་མེ་ཏོག་གི་དང་། རྒུན་འབྲུམ་སོགས་འབྲས་བུ་ལས་སྦྱར་བའི་ཁུ་བ་ནི་བཙོས་པའི་ཆང་སྟེ། འབྲུ་ཡི་ཆང་དང་བཙོས་པའི་ཆང་གཉིས་པོ་དེས་ནི་སྨྱོས་པར་འགྱུར་བར་རིག་ནས། སྡོམ་པ་ཅན་བདག་ཉིད་ལེགས་སུ་འདོད་པས་ཕན་པར་འདོད་པ་གང་གིས་ཙུང་ཟད་ཙམ་ཡང་མི་བཏུང་ངོ་། །གཉིས་པ་ནི། ཆང་དེ་འཐུངས་ན་ནི་བསླབ་པའི་གནས་བླང་དོར་མི་བརྗེད་པའི་དྲན་པ་ཉམས་ཤིང་དེས་བརྟུལ་ཞུགས་དང་ལྡན་པ་དེ་བག་མེད་པར་འགྱུར་ལ། བག་མེད་པར་གྱུར་པ་ལས་

ནི་བརྟུལ་ཞུགས་ཉམས་པར་འགྱུར་ཏེ། དཔེར་ན་སྟོན་དགེ་བསྙེན་ཚུང་བ་གཅིག་ལ་
ཀྱལ་ཀ་བྱ་ཕྱིར། ཚང་ཛ་གང་། ལུག་གཅིག །བུད་མེད་གཅིག་ཁྲིད་འོང་ནས། ཁྱོད་
ཚང་འཐུང་ངམ། ལུག་གསོད་དམ། བུད་མེད་སྤྱོད། དེ་གསུམ་གང་རུང་གཅིག་
བྱེད་དགོས་ཟེར་བས། དེས་གཞན་གཉིས་ལས་ཚང་འཐུང་ན་དགའ་སྙམ་ནས། ཚང་
བཏུང་བས། དེ་མྱོས་བག་མེད་པར་གྱུར་ནས། ལུག་བསད། བུད་མེད་ལ་སྤྱད་པས་
ཕམ་པ་བྱུང་སྐེ་སྡོམ་པ་རྩ་བ་ནས་ཉམས་པ་ལྟ་བུའོ། །རྒྱུ་མཚན་དེ་བས་ན་ང་ལ་སྟོན་
པར་འཛིན་པ་པོ་རྣམས་ཀྱིས་ཚང་རྩ་རྩེའི་ཟིལ་པ་ཙམ་ཡང་མི་འཐུང་མི་བླུད། གལ་ཏེ་
བཏུང་ན། དེ་ཉིད་ང་ཡི་ཉན་ཐོས་སུ་རུང་བ་མིན་ལ། ང་ཡང་དེའི་སྟོན་པ་མིན་ནོ་ཞེས་
གསུངས་པའི་སྟོན་པའི་བཀའ་དྲན་པར་བྱས་ཏེ་དེ་ལྟར་མྱོས་འགྱུར་ཚང་འཐུང་བས་ཉེས་
པ་ཙམ་དུ་མ་ཟད་ཉེས་པ་དུ་མ་འཕེལ་བར་འགྱུར་བ་ཡི་རྒྱུ་ཚང་ནི་རྩྭ་མཆོག་གི་རྩེ་མོ་ཙམ་
གྱིས་ཀྱང་མི་བཏུང་ངོ་། །དེ་ལ་ཚང་ཁ་དོག་དྲི་རོ་མྱོས་པའི་ནུས་པ་བཞི་ཡོད་ན་སྤང་
དགོས་ལ། ནད་པས་ཚང་མི་བཏུང་བར་མི་འཚོ་བ་ཙམ་ལ་ཐུག་ན་བསྐོལ་ནས་རོ་ནུས་
ཀྱི་ནུས་པ་མེད་པར་བྱས་ཏེ་བཏུང་ངོ་། །གཉིས་པ་བརྟུལ་ཞུགས་ཀྱི་ཡན་ལག་ལ། གར་
སོགས་བཤད་པ། ཕྲེང་སོགས་བཤད་པ། མལ་ཆེ་མཐོ་བཤད་པ། ཕྱི་དྲོའི་ཁ་ཟས་
བཤད་པ་བཞིའོ། །དང་པོ་གར་སོགས་སྤོང་ཚུལ། བཅོམ་ལྡན་འདས་རྒྱལ་པོའི་ཁབ་
ན་བཞུགས་སོ། །རྒྱལ་པོ་གཟུགས་ཅན་སྙིང་པོས་ཀླུ་རྒྱལ་རི་བོ་དང་ཡིད་འོང་གི་ཕྱིར་
གཙུག་ལག་ཁང་བརྩིགས་ནས་དུས་སྟོན་ཆེན་པོ་བྱས་པའི་ཚེ། ལྷ་སྡེ་ཕྱོགས་ནས་གར་མཁན་
འོངས་ཏེ་དྲུག་སྡེས་ཅི་བྱེད་པའི་ལད་མོ་བཟླས་པ་དང་། དྲུག་སྡེ་ཁྲིས་ནས། གཞན་
ཞིག་ན་དུས་སྟོན་བྱེད་པའི་གར་མཁན་ལ་གནོད་ཕྱིར་དྲུག་སྡེས་བྲོ་གར་བྱས་པ་དང་། སྐྱེ་
བོ་ཀུན་གར་མཁན་ལ་མི་ལྟ་བར་དྲུག་སྡེ་ལ་བལྟས་ནས་རོལ་མོ་མཁན་རྣམས་ཀྱིས་ཉེད་པ་མ་ཐོབ་

པས་འཚོ་བ་ཆད་ནས་ཁ་ཟེར་བ་ལ་བཅས་སོ། །དེས་ན་མགྲིན་འགྱུར་གྱི་གླུ་དང་། རྐང་ལག་བསྒྱུར་ཞིང་ལུས་གཡོ་བའི་གར་དང་དེ་བཞིན་དུ་སིལ་སྙན་སོགས་རོལ་མོ་འཁྲོལ་བརྡུང་འབུད་པ་རྣམས། སྡོམ་པ་ལ་གནས་པས་དུས་མ་ཡིན་པར་མི་བྱའོ། །གཉིས་པ་ཕྲེང་སོགས་གསུམ་མོ། །བཅོམ་ལྡན་འདས་རྒྱལ་པོའི་ཁབ་འོད་མའི་ཚལ་བྱ་ཀ་ལན྄ད་ཀ་གནས་པ་ན་བཞུགས་སོ། །དེའི་ཚེ་གཙུག་ལག་གི་དུས་སྟོན་བྱེད་པ་ན་དྲུག་སྡེ་ཁ་དོག་དང་ཕྲེང་བས་བརྒྱན་པ་ལ་བཅས་སོ། །དེ་ཡང་ལུས་ལ་དྲི་ཞིམ་ཞིང་མཛེས་པའི་ཆེད་དུ་ཨ་གར་ལ་སོགས་པའི་ལྡེ་གུའི་སྦྱོས་ཀྱིས་མི་བྱུག་གོ། །ཙན་ལྡན་ལ་སོགས་པའི་དྲི་བཟང་གིས་མི་བསྒོའོ། །ཡུང་བ་དང་། གུར་གུམ་དང་མཚལ་ལ་སོགས་པའི་ཁ་དོག་མཛེས་པ་རྣམས་ཀྱིས་ལུས་ལ་བསྒྲུ་བ་དང་། དཔྲལ་བ་ལ་རིས་སུ་བྲི་བར་མི་བྱའོ། །མི་ཏོག་སྣ་ཚོགས་བརྒྱུས་པའི་ཆུན་པོའི་མགོ་ཡི་རྒྱན་དང་། མགུལ་པར་ཕྲེང་བ་ཡི་རྒྱན་དག་བརྟུལ་ཞུགས་ཅན་གྱིས་གདགས་ཤིང་དཔྱངས་པར་མི་བྱའོ། །གསེར་དང་དངུལ་དང་། མུ་ཏིག་དང་ནོར་བུ་དང་གཡུ་བྱུར་ལ་སོགས་པའི་རྒྱན་བཟང་པོར་གྲགས་པ་རྣམས་ཀྱིས། བདག་གི་མགུལ་དང་རྐང་ལག་སོགས་ལ་བརྒྱན་པར་མི་བྱའོ། །མཚལ་དང་གུར་གུམ་དང་། ག་པུར་དང་དུད་པ་ལ་སོགས་པ་སྦྱར་བའི་མིག་སྨན་རྣམས། བདག་གི་མིག་མི་ན་བར་མིག་ཏུ་མི་བྱུག་གོ། །ལུས་ཀྱི་ཁ་དོག་མཛེས་པ་དང་ཆགས་པ་སྐྱེ་པའི་ཕྱིར། མེ་ལོང་དང་། ཤེལ་སྒོ་སོགས་ལ་བལྟབ་དང ། ཁྲུས་ཆུ་ལ་དྲི་བཟང་གདབ་པ་སོགས་མི་བྱའོ། །གསུམ་པ་ལ། མལ་ཆེ་མཐོ་གཉིས་སྤང་བ་དང་། ཞར་བྱུང་གར་ཕྲེང་མལ་སོགས་སྤངས་པའི་དགོས་པ་གཉིས། དང་པོ། །ཤིང་ལ་སོགས་པའི་ཁྲི་ཁྲུ་གང་ལས་མཐོ་བ་དང་། བ་སོ་དང་དུང་ལ་སོགས་པས་བྱས་པའམ། དེས་བརྒྱན་པའི་ཁྲི་ཆེ་བ་ཡིན་ན་དམའ་ཡང་ཉལ་ཁྲི་བཟང་པོ་ལ་ཉལ་བ་དང་འདུག་པ་ལ་སོགས་པ་མི་བྱའོ།

།དམ་པའི་ཆོས་འཆད་ཚེ་རིན་པོ་ཆེའི་ཁྲི་ལ་འདུག་པའང་གནང་ངོ་། །དེ་ལ་འདུག་པའི་ཚེ་ཆགས་སེམས་མེད་པར་མི་རྟག་པའི་འདུན་པས་འདུག་མལ་གོས་དང་སྟན་གཉིས་ཀ་ཀོ་ལྤགས་ཡུལ་མཐའ་འཁོབ་དང་ལྷག་པ་ཆེ་སར་གནང་ངོ་། །གཉིས་པ་ནི། དགོས་པ་གླུ་གར་རོལ་མོ་དང་མལ་སྟན་ཕྲེང་བ་ལ་སོགས་པ་འདོད་ཅིང་། བརྟེན་པ་གང་དང་གང་ལ་དྲིགས་པའམ་སྙེམས་པ་སྐྱེ་བར་འགྱུར་བ། དྲིགས་པའི་ཡན་ལག་གམ་དངོས་པོ་དེ་དང་དེ་སྤང་བར་བྱས་ནས་མ་བརྟེན་ན་ནི། སྤོང་བའི་བརྟུལ་ཞུགས་ལ་གནས་པ་སྟེ་རྒྱལ་ལྡན་ཞེས་བརྗོད་པ་ཡིན་ནོ། །བཞི་པ་ཕྱི་དྲོའི་ཟས་ལ། དུས་མིན་བཤད་པ། དུས་རུང་བཤད་པ། ཉེས་བྱས་སུ་འགྱུར་མི་འགྱུར་བཤད་པ་གསུམ། དང་པོ། འཛམ་གླིང་རང་གི་ཉི་མ་ཕྱེད་མཚམས་མན་ཆད་ནས་སྐྱ་རེངས་མ་ཤར་བར་དུ་ཞེས་པ་ནི། སྐྱ་རེངས་ལ། སྔོ་རེངས། སེར་རེངས། དམར་རེངས་གསུམ་ལས་སེར་རེངས་མེད་པའི་ཚད་ཀྱིས་བཟུང་སྟེ་དེ་ཙུན་ཆད་ནི་རྒྱལ་བས་བཟའ་བཅའ་བཟའ་བའི་དུས་མིན་པར་གསུངས་པས་ན། སློམ་ཙན་གྱིས་ནི་དུས་མ་ཡིན་པ་དེར་མི་བཟའ་སྟེ་བཟའ་བར་མི་བྱའོ། །གཉིས་པ་ནི། དུས་མ་ཡིན་པ་དེ་ལས་གཞན་སྐྱ་རེངས་ཤར་ནས་རང་གླིང་གི་ཉི་མ་ཕྱེད་ཀྱི་བར་ཏེ་ཕྱེད་མ་ཡོལ་བ་དེ་ཡི་སྐབས་སུ་ཟོས་པ་ནི་སྟེ་ཟོས་པ་དེ་ནི་བདག་ཉིད་ལ་ཕན་པར་ཤེས་བཞིན་དུ་སློམ་པ་བསྲུང་ནུས་པའི་རྒྱུ་སྟེ། བཟའ་བཅའ་བཟའ་པའི་དུས་སུ་ཟོས་པ་ཡིན་ནོ། །གསུམ་པ་ནི། ཟས་ཟ་བའི་དུས་མིན་པ་ལ་ཟས་ཟ་བའི་དུས་སུ་འདུ་ཤེས་བཞག་པར་བྱས་ནས་ནི་ནམ་དུ་ཡང་བཟའ་བར་མི་བྱའོ། །ནད་པ་སོགས་ལ་སྨན་པས་ཁྱོད་ཀྱིས་ཟས་མ་ཟོས་ན་མི་འཚོ་བའམ་ཉོན་མོངས་པར་འགྱུར་བས་ཟས་ཟོ་ཞིག་ཅེས་བསྒྲུས་ན་ནི་ནད་པས་ཟོས་ཀྱང་ཉེས་པར་མི་འགྱུར་རོ། །གཞན་ཡང་ལམ་དུ་དཔག་ཚད་གཅིག་ཙམ་དུ་འགྲོ་བ་དང་། མུ་གེས་ཉམ་ཐག་དུས་ནམ་སྐྱེད་བཟའ་བར་གནང་

ངོ་། །གསུམ་པ་གསེར་དངུལ་ལེན་སྤོང་ལ། དངོས་དང་རུང་བར་བྱ་ཚུལ། རུང་བ་དངོས། གསུམ་དང་པོ། ས་ལེ་སྦྲམ་ནི་བཞུ་བརྡུལ་བྱས་ན་གསེར་ཉིད་ཡིན་ཏེ། དངུལ་ཞེས་བྱ་བ་དངུལ་ཉིད་ཡིན་ལ། ཉིད་སྒྲས་འདྲ་བ་བསལ་བ་ཉིད་དོ། །སྦྱིན་བདག་རྣམས་ཀྱིས་དེ་དག་བྱིན་ན། བརྟུལ་ཞུགས་ཅན་གྱིས་བླང་བར་མི་བྱ་སྟེ་མི་བླང་ངོ་། །ཞ་ཉེ་དང་མཁར་བ་སོགས་ལ་རེག་ན་ཉེས་བྱས་སོ། །གཉིས་པ། གལ་ཏེ་གོས་མེད་པ་སོགས་ཡོངས་པར་གྱུར་ཚེ། སྦྱིན་བདག་རྣམས་ཀྱིས་གསེར་དངུལ་དེ་བྱིན་ན། བདག་གིས་འཆང་དུ་རུང་བ་མ་ཡིན་པ་འདིས་ནི། གོས་མེད་པས་གོས་དང་། འཚོ་བ་ཆད་པར་འགྱུར་བས་ཟས་དང་། ནད་པས་སྨན་ཏེ་རུང་བའི་དངོས་པོ་དེ་དང་དེ་བཙལ་བར་བྱའོ་སྙམ་དུ་དེ་ལྟར་མངོན་པར་ཏེ་ངེས་པར་བསམ་ནས་ནི། དེ་ནས་དགེ་བསྙེན་དང་ཁྱིམ་བདག་གཞན་ཞིག་ལ་ལེན་དུ་གཞུག་གོ། །གསུམ་པ། སངས་རྒྱས་ཀྱི་སྐུ་བཞེངས་པ་དང་། ཆོས་བྲི་བ་དང་། དགེ་འདུན་སྡེ་ལ་འབུལ་བའི་བསམ་པས། དཀོན་མཆོག་གསུམ་གྱི་དཀོར་རམ་ཆེད་ཀ་དང་། ཚངས་པ་མཚུངས་པར་སྤྱོད་པ་མཁན་སློབ་རྣམས་ཀྱི་ཆེད་དུ། གསེར་དང་དངུལ་ལ་དགེ་སློང་བདག་གིས་རེག་པར་གྱུར་ཀྱང་། ཉེས་པའམ་ལྟུང་བར་འགྱུར་པ་མ་ཡིན་ནོ། །དེ་ཕྱིར་བདག་ལ་ཕུལ་བ་ཡང་དཀོན་མཆོག་དང་མཁན་སློབ་ལ་འབུལ་སེམས་ཀྱིས་བླངས་ན་ཉེས་པར་མི་འགྱུར་རོ། །དཀོན་མཆོག་གསུམ་གྱི་ཆད་དང་། བསོད་ནམས་བྱ་བའི་ཕྱིར་ཚོང་གི་ཁེ་སྤོགས་བྱ་དགོས་ན་ཡང་བདག་ཉིད་ཀྱིས་མི་བྱ་ཡི། ཁྱིམ་པ་གཞན་ལ་བཅོལ་བར་བྱའོ། །བཞི་པ་སྤང་བླང་གི་རྣམ་པ་གཞན་བཤད་པ་ལ། རང་གི་རྒྱུད་ཀྱི་སྡིག་ལྟ་གཏོང་བ་སོགས་དང་། གཞན་ལ་གུས་པར་བྱ་བ་སོགས་གཉིས། དང་པོ་ནི། ཉེ་དགའི་སློབ་མ་དགེ་སློང་ཆེར་མ་ཅན་དང་མཆོད་སྦྱིན་གཉིས་ལྟ་བུ་དགེ་ཚུལ་གང་གིས། འདོད་ཡོན་ལྔ་སྤྱད་པས་མཐོ་རིས་

དང་ཐར་བ་ལ་བར་དུ་གཅོད་པར་བྱེད་ཅེས་རྫོགས་པའི་སངས་རྒྱས་ཀྱིས་གང་གསུངས་པ་དེ་ཡིས་བར་དུ་གཅོད་པར་མི་འགྱུར་ཏེ། དེའི་དོན་བདག་གིས་ཤེས་སོ་ཞེས་སྨྲ་བ་ལ། ཚིག་འཇམ་པོས་གཞམ་བསྒོ་དང་། ངེས་མ་བཏུབ་ན། གསོལ་བ་དང་བཞིའི་ལས་ཀྱིས་དགེ་ཚུལ་དེ་ལྟར་གཏི་མུག་མ་སྨྲ་ཅིག་ཅེས་དེ་སྐད་བཟློག་ཀྱང་མི་ཟློག་པར་ད་དུང་སྨྲ་ན། དགེ་འདུན་གྱི་ཆོས་དང་ཟང་ཟིང་གི་འཚོ་བའི་ཡོ་བྱད་དུ་གཏོགས་པ་ཡོངས་སྤྱོད་རྣམས་དང་བྲལ་བར་བྱས་ནས་ནི། གཙུག་ལག་ཁང་ནས་གནས་དབྱུང་བྱས་ཏེ་བསྲད་པར་བྱའོ། །དེ་ནས་དགེ་སྦྱོང་དེ་ནི་དགེ་སྦྱོང་གཞན་དང་ཁང་པ་གཅིག་ཏུ་ཞག་གཅིག་ལ་ཉལ་བར་གནང་བ་མེད་ན། ཚངས་པ་མཚུངས་པར་སྤྱོད་པ་རྣམས་དང་སྤྱོད་པ་དང་། ཡོ་བྱད་དང་ལྷ་བ་གཅིག་པ་རྣམས་ཀྱང་མེད་པས་རོ་དང་འདྲ་བར་འགྱུར་རོ། །གཞན་ཡང་ཇི་ལྟར་རོ་ལ་ཡོན་ཏན་མེད་པ་བཞིན། དེ་ཡང་དགེ་བའི་ཕྱོགས་ཉམས་པས་རོ་དང་འདྲའོ། །རབ་ཏུ་བྱུང་བ་ནི་དུལ་ཞིང་ཞི་བའི་རང་བཞིན་ཡིན་པས། མ་རབས་ཀྱི་ཆོས་ལུས་མཆོང་རྒྱུག་སོགས་དང་། དགེ་བའི་ཕྱོགས་ལ་སེམས་མི་གནས་པས་འཕྱུར་བ་དང་། ངག་གི་གད་མོ་ཧ་གད་དུ་བྱེད་པ་ལ་སོགས་པ་རྣམས། རང་ཉིད་མི་རྟག་པ་འཆི་བར་བསམས་ཏེ་རྣམ་པར་གཡེངས་བར་མི་བྱའོ། །གླལ་བ་དང་སྒྲེགས་པ་བྱུང་ཚེ་ལག་པ་དང་གོས་ལ་སོགས་པ་ཡིས་ཁ་དགབ་པར་ཡང་ནན་ཏན་བྱ་དགོས་ཏེ། མི་མཛེས་པ་དང་དྲི་ང་བའི་ཕྱིར་རོ། །གཉིས་པ་ནི། རང་ལས་ཚུལ་ཁྲིམས་དང་ཤེས་རབ་ཆེན་པས་བསླབ་པ་ཆེན་པ་རྣམས་ལ་སྦྲིད་པ་བྱུང་བ་ན་ཚིག་གིས་ཕྱག་འཚལ་ལོ་ཞེས་ཕྱག་བྱ་སྟེ། རང་ལས་བསླབ་པ་གཞོན་པ་ལ་སྦྲིད་པ་བྱུང་ན་ནད་མེད་པར་གྱུར་ཅིག་ཅེས་བརྗོད་པ་དང་། ཁྲིམ་པ་སྦྲིད་པ་བྱུང་བ་ལ། ཡུན་རིང་འཚོ་བར་གྱུར་ཅིག་ཞེས་བརྗོད་པར་བྱ་དགོས་པ་དང་། གཞན་ཡང་མཁན་སློབ་སོགས་ཡོན་ཏན་གྱིས་འཕགས་

པའི་བླ་མ་དང་མཆོད་རྟེན་སོགས་གནས་པའམ་བཞུགས་པའི་མདུན་དག་ཏུ། སྐབས་དང་། ལུད་པ་མཆིལ་མ་སོ་ཤིང་རྣམས་མི་འདོར་ཞིང་། སོ་ཤིང་བཅའ་བ་འདོར་བར་མི་བྱ་སྟེ། དོར་ན། སྨད་པའི་ཆོས་ཡིན་པ་དང་། མ་གུས་ཤིང་སྙེམས་པའི་ཚུལ་ཡིན་པས་སོ། །སོ་ཤིང་ཟ་ན་ཡང་ཕུ་རུང་གིས་ཁ་དགབ་སྟེ་བཟའ་བར་བྱའོ། །དེ་བཞིན་དུ་བླ་མ་བཞེངས་བཞུད་ཀྱི་དུས་སུ་སྟན་ལ་མི་འདུག་གོ། །མདུན་དུ་དོན་མེད་པར་ཕར་ཚུར་བཅག་སྟེ་འགྲོ་བར་མི་བྱ་ཞིང་། སྨད་གོས་ཁོ་ན་ལས། སྟོད་དགོས་མི་བསྒོ་བའམ། སྟོད་གོས་ཕུད་ནས་ཁྱིད་རངས་སུ་ཡང་མི་དབྱུང་ངོ་། །རང་ལས་རྒན་པ་དང་བར་བ་དང་གསར་བུ་ལ་སོགས་པའི་མཁས་ཤིང་སྡོམ་པ་ཅན་རྣམས་ལ། ལུས་ངག་གིས་གུས་པ་དང་བཅས་ཤིང་སེམས་ཀྱིས་ཞེ་སར་བཅས་པར་བྱའོ། །བཞི་བ་ཕྱི་དྲོ་ཕན་ཚད་ཇི་ལྟར་བྱ་བ་ནི། རང་གིས་ལག་པ་དག་པར་བསྐལ་བའམ་བཀྲུས་ནས་ནི། ཡོ་བྱད་བུམ་པ་དང་ཛྷ་མ་ལ་སོགས་པ་སྲོག་ཆགས་དང་རྡུལ་མེད་པས་གཙང་བར་བྱ་ཞིང་། ནངས་པར་སྤྱད་པར་བྱ་བའི་ཆུ་ཡང་སྔར་བཞིན་ཡོངས་སུ་ཞེས་ཐམས་ཅད་དུ་བཙགས་ནས་སུ་བརྟགས་ནས་སྲོག་ཆགས་མེད་པ་སོགས་རུང་བ་བླང་བར་བྱའོ། །རབ་ཏུ་བྱུང་ནས་ལོ་བཅུ་འམ་ལྔ་མ་ལོན་གྱི་བར་དུ་གནས་མ་བཅས་པར་གནས་སུ་མི་དབང་བས། དགེ་སློང་རྣམས་ཀྱི་གནས་མེད་པར་ཞག་གཅིག་ཀྱང་གནས་སུ་མི་གནང་ངོ་ཞེས་བཀའ་བསྩལ་བས་ན། མཁན་པོ་སོགས་གནས་ཀྱི་སློབ་དཔོན་ལ་གནས་མ་བཅས་མ་ཞུས་པར་གནས་པར་མི་བྱ་སྟེ། གལ་ཏེ་མཁན་པོ་སོགས་མེད་ན་བདག་གར་འོང་བའི་གནས་དེ་ན་དགེ་སློང་ཡོན་ཏན་ཅན་ནམ། ཆོས་འདུལ་ལ་མཁས་པ། དགེ་སློང་འཚོས་ཤིང་འདུལ་ནུས་པ་ལ་གསོལ་བ་བཏབས་ཏེ་གནས་པར་བྱའོ། །དགེ་འདུན་གྱི་མལ་ཆ་སྟན་དང་ཁྲི་དང་ཁྲིའུ་ལ་སོགས་པར་ཤིན་ཏུ་སྤྱད་བྱ་མིན་པས། གདིང་བ་མེད་པ་དང་། མི་རྟག་པ་དང་

། སྡུག་བསྔལ་བ་དང་། བདག་མེད་པ་དང་། ཞི་བའི་དྲན་པ་མེད་པར་འདུག་པ་ལ་སོགས་པ་མི་བྱ་སྟེ་བྱས་ན་ཤིན་ཏུ་ཉེས་པ་ཆེ་བས་སོ། །དེ་ལྟར་དྲན་པ་དང་ལྡན་པས་འདུག་པ་སོགས་བྱས་ན་ཉེས་པ་མེད་དོ། །གཞན་ཡང་སོ་ཤིང་བཅའ་ཞིང་བཀྲུ་བ་དང་རྐང་ལག་བཀྲུ་བ་དང་སྐོམ་ཆུ་བཏུང་བ་དང་། བཤང་བ་དང་གཅི་བ་བྱེད་དུ་འགྲོ་བ་དང་། མཚམས་ནང་གཅིག་ཏུ་སྟོན་པའི་སྐུ་རྟེན་སོགས་ལ་ཕྱག་བྱ་བ་དེ་དག་མཁན་པོ་དང་སློབ་དཔོན་ལ་མ་ཞུས་པར་བྱས་ན་ཉེས་པ་མེད་དོ། །དེ་ལས་གཞན་བརྟུལ་ཞུགས་ཅན་གྱིས་གོས་དྲས་དྲུབ་དང་། གློག་པ་དང་སྒོམ་པ་སོགས་ཀྱི་བྱ་བ་གཞན་ཞུ་འོས་དེ་དང་དེ་དག་ཐམས་ཅད་མ་ལུས་པ་གལ་ཏེ་མཁན་པོ་སོགས་བླ་མར་མ་ཞུས་པར་གང་དང་གང་བྱས་ན་དེ་དང་དེ་ལ་ཉེས་བྱས་རེ་འབྱུང་ངོ་། །ཞེས་སོ། །རྒྱལ་མོ་དགེ་སློང་གིས་མཆོད་རྟེན་དང་སྐུ་གཟུགས་ལ་སོགས་པ་ལ་ཕྱག་བྱས་ཏེ། མཁན་པོ་སོགས་ལ་སྲོད་དང་ཐོ་རངས་སུ་མི་ཉལ་བར་ཞུ་བར་བྱས་ནས་དེ་ཡི་འོག་ཏུ་མཁན་སློབ་གཉིས་སོགས་བླ་མའི་རྐང་པ་ཆུ་གཙང་མས་བཀྲུས་ནས་མཁན་པོ་སོགས་བླ་མ་ལ་བརྟུལ་ཞུགས་ཅན་གྱིས་སྲོད་དང་ཐོ་རངས་འདི་དག་ཏུ་དགེ་བ་གང་བྱེད་ཀུན་ལ་གནང་བ་ཞུས་ཏེ་གནང་བ་ན་རང་གི་རྐང་པ་གཉིས་ཀ་ཆུས་བཀྲུས་ནས་ནི། ནམ་གྱི་ཆ་གསུམ་དུ་བྱས་པའི་ཆ་སྟོད་དང་ཆ་སྨད་ལ་དགེ་བ་ལ་བསྒྲིམས་ཏེ་བརྩོན་ནས་མི་ཉལ་བར་བྱས་ཏེ། བླ་མས་འདི་གྱིས་ཞེས་གནང་བ་བསྒྲུབ་པར་བྱེད་པ་དེས་ནི་དགག་སྒྲུབ་ཇི་ལྟར་དམ་བཅས་པ་ལྟར་མི་འགལ་བར་བྱས་ན་བདེན་པར་སྨྲ་བ་ཡིན་པར་ཤེས་པར་བྱ་སྟེ། དེ་ལྟར་མ་བྱས་ན་ཤེས་བཞིན་རྫུན་དུ་སྨྲ་བར་འགྱུར་རོ། །ནམ་གྱི་ཆ་བར་མར་ཉལ་བའི་ཚེ་ན་ཡང་བསམ་པ་མེད་པར་ཉལ་བར་མི་བྱ་སྟེ་འདི་ལྟར་སང་སྔར་དུ་ལྡང་བའི་འདུ་ཤེས་དང་། ཕྱོགས་ཐམས་ཅད་སྣང་བས་ཁྱབ་པའི་འདུ་ཤེས་ཀྱིས་ཏེ་འདུ་ཤེས་ཡིད་ལ་བྱས་ནས་གློ་གཡས་ས་ལ་ཕབས་ཏེ་སེང་

གི་ཉལ་ཐབས་བཞིན་དུ་ཉལ་བར་བྱའོ། །དེ་ལྟར་ལྡང་དང་སྣང་བའི་འདུ་ཤེས་སོགས་
དྲན་པ་དང་ལྡན་པར་བྱ་ཞིང་ཞེ་ས་ལྡན་པར་བྱས་ནས། ཉལ་ཁར་ཡང་དཀོན་མཆོག་
གསུམ་ཡིད་ལ་བྱེད་པ་ལ་སོགས་པའི་དགེ་བའི་རྒྱུད་དང་ལྡན་པར་བྱས་ནས་ཉལ་ན་རྨི་
ལམ་ཡང་དགེ་བ་དང་སྒྱུར་དུ་སད་པར་འགྱུར་རོ། །དེ་བཞིན་དུ་སྒྱུར་དུ་སད་ནས་ནི།
ནམ་གྱི་ཆ་སྨད་ཐོ་རངས་མལ་ནས་ལངས་ཏེ་ནམ་ལངས་བར་དུ་ཁ་ཏོན་སོགས་བྱ་བ་ཅི་
སྐད་གོང་དུ་བསྟན་པ་བཞིན་དུ་བསླབ་པར་བྱའོ། །ལྔ་པ་དེ་རྣམས་ཀྱི་འབྲས་བུ་བརྗོད་
པའི་སྒོ་ནས་མཇུག་བསྡུ་བ་ནི། གོང་དུ་ཇི་ལྟར་བསྟན་པའི་བླང་དོར་རྣམས་ཚུལ་བཞིན་
ཉམས་སུ་བླངས་ཏེ་སྒྲུབ་ན་ཡོན་ཏན་དང་འབྲས་བུ་ནི། རྟེན་ཅིང་འབྲེལ་བར་འབྱུང་
བའི་དེ་ཁོ་ན་ཉིད་མཐོང་བས་རང་རྒྱུད་ཀྱི་ཉོན་མོངས་པ་ཐམས་ཅད་སྒྱུར་དུ་ཟད་ཅིང་
སྤོང་བ་དང་། འབྲས་བུ་བྱང་ཆུབ་རྣམ་པ་གསུམ་ལས་དམ་པ་བླ་ན་མེད་པའི་བྱང་ཆུབ་
ཐོབ་པར་འགྱུར་བ་ཡིན་ནོ། །དེ་ལྟར་ཐོབ་པར་འགྱུར་བར་བསམས་ནས་དེའི་རྒྱུ་ལ་
བསྲིམས་ཏེ་གུས་རྟག་གི་བརྩོན་པ་དང་ལྡན་པས་རྟག་ཏུ་བླང་དོར་གྱི་བསླབ་པ་ལ་འབད་
པར་བྱའོ་ཞེས་གདམས་པར་མཛད་པའོ། །བཞི་པ་མཇུག་གི་དོན་ལ། སློབ་དཔོན་གང་
གིས་མཛད་པའི་མཛད་བྱང་། ལོ་ཙ་བ་གང་གིས་བསྒྱུར་བའི་འགྱུར་བྱང་གཉིས། དང་
པོ། གཞི་ཐམས་ཅད་དེ་ཤེས་བྱ་གཞི་ལྔ་ཡོད་པར་སྨྲ་བའི་སྡེ་ལས་དགེ་ཚུལ་གྱི་སྲུང་བླང་
གི་བསླབ་བྱ་སྟོན་པའི་ཚིག་ལེའུར་བྱས་པ་སློབ་དཔོན་བདག་ཉིད་ཆེན་པོ་ཀླུ་སྒྲུབ་ཀྱིས
མཛད་པ་རྫོགས་སོ། །གཉིས་པ་རྒྱ་གར་གྱི་མཁན་པོ་མུ་ནི་ཝརྨ་དང་། ཞུ་ཆེན་གྱི་ལོ་
ཙ་བ་སྣ་ནམ་ཡེ་ཤེས་སྡེས་བསྒྱུར་ཅིང་ཞུས་ཏེ་གཏན་ལ་ཕབ་པའོ། །ན་ཚོད་ཤིན་ཏུ་གཞོན་
པའི་ལྕུག་ཕྲན་ལ། །བློ་གྲོས་ཨུཏྤལ་གསར་པས་ཉེར་མཛེས་ཁྱོད། །དྲི་མེད་ཆོས་འདུལ་
བདུད་རྩིའི་དགའ་སྟོན་གྱི། །དྲི་བསུང་རྣམ་པར་འཕྱོ་བས་དགེ་གྱུར་ཅིག །ཅེས་པའང་

ས་བཅད་ཀྱི་མཇུག་གོ། །འདིར་སྨྲས་པ། ཕན་བདེའི་ལེགས་ཚོགས་ཇི་སྙེད་འཇོ་བའི་དཔྱིད། །ཡོན་ཏན་ཀུན་གྱི་གཞིར་གྱུར་ཚུལ་ཁྲིམས་ཉིད། །ལེགས་པར་སྟོན་པའི་སོ་སོར་ཐར་པ་གང་། །སྟོན་དང་བསྟན་པ་གཉིས་ཀར་རྒྱལ་བས་གསུངས། །དེ་ཕྱིར་དེ་ནི་ཐར་འདོད་རྣམས་ཀྱི་ལམ། །ཡང་དག་འདོད་པའི་སྐལ་བཟང་དམ་པ་རྣམས། །དང་པོའི་ལས་ཅན་འདི་ལ་བརྩོན་བྱས་ཏེ། །ཕྱི་ནས་འདུལ་བ་རྒྱ་མཚོར་འཇུག་པར་བྱ། །འདིས་མཚོན་དུས་གསུམ་བསགས་པའི་དགེ་ཚོགས་ཀྱིས། །རྩ་བརྒྱུད་བླ་མའི་ཐུགས་དགོངས་རྫོགས་པ་དང་། །བསྟན་འཛིན་ཞབས་བརྟན་རྒྱལ་བསྟན་དར་རྒྱས་ཤིང་། །མ་ལུས་འགྲོ་ཀུན་ཕྱམ་གཅིག་སངས་རྒྱས་ཤོག །ཅེས་པའང་སྐྱབས་རྗེ་ཀུན་གཟིགས་རྒྱལ་ཚབ་མཆོག་སྤྲུལ་རིན་པོ་ཆེའི་ཉེ་གནས་དམ་པ། བླ་མ་དང་བསྟན་པ་ལ་མཆོག་ཏུ་གུས་པའི་བློ་གྲོས་ཅན། ཤཱཀྱའི་དགེ་སློང་ཞིང་སྐྱོང་གིས་བླ་མའི་བཀའ་བཞིན་བསྐུལ་གནང་ལྟར། རབ་ཆེས་མེ་སྟག་ལོར་ཞི་ཆེན་ཡང་དབེན་བདེ་མཆོག་བཀྲ་ཤིས་དགེ་འཕེལ་དུ་ཤཱཀྱའི་བཙུན་གཟུགས་ས་མཎྜ་དྷརྨ་ཀི་རྟིར་འཁོད་པས་འཛམ་དབྱངས་མི་ཕམ་རིན་པོ་ཆེའི་ས་བཅད་དང་རྩ་བའི་ཕྱག་མཆན་འགྲེལ་པར་གཏུགས་ཏེ་བཀོད་པའི་ཡི་གེ་པ་ནི། ཤཱཀྱའི་དགེ་སློང་མཁྱེན་བརྩེ་བློ་གྲོས་ཀྱིས་བགྱིས་པ་འདིས་ཀྱང་དཔལ་ལྡན་བླ་མ་ཡབ་སྲས་ཐུགས་དགོངས་རྫོགས་པ་དང་བསྟན་འགྲོ་ལ་ཕན་པ་རྒྱ་ཆེ་ཞིང་རྒྱུན་རིང་བར་འཕེལ་བའི་རྒྱུར་གྱུར་ཅིག །མངྒ་ལཾ། །

རྒྱལ་བའི་རྒྱལ་ཚབ་སློབ་དཔོན་ཀླུ་སྒྲུབ་ཀྱི། །གཞུང་བཟང་རིན་ཆེན་གསེར་གྱི་མཆོད་སྡོང་ལ། །དགོངས་འགྲེལ་གཡུ་ཡི་ཕྲ་ཚོམ་བསྐྲར་བ་འདི། །མི་ཕམ་དཔའ་བོའི་རྣམ་དཔྱོད་དག་གི་ཕྱེས། །དེ་ཕྱིར་ཟེ་ཆེན་མཏ་པཏྲེ་ཏའི། །ཐུགས་དགོངས་རྫོགས་ཕྱིར་

སྤར་དུ་བསྒྲུབས་པའི་དགེས། །འགྲོ་རྣམས་བསླབ་གསུམ་གཙང་མའི་གོས་བསླུབས་ཏེ།
།ཚུལ་ཁྲིམས་དྲི་བསུང་ཕྱོགས་མཐར་ཁྱབ་གྱུར་ཅིག །ཅེས་སྤར་བྱུང་སྨོན་ཚིག་འདི་འང་
བཀའ་བསྐུལ་ལྷར་བན་དེ་འཇམ་དཔལ་བཟང་པོས་སྨྲས་པ་དགེའོ། །དགེའོ།། །།

འདུལ་བ་རྒྱ་མཚོའི་སྙིང་པོ་བསྡུས་པ་སོགས།

ཨོཾ་བདེ་ལེགས་སུ་གྱུར་ཅིག །ཐམས་ཅད་མཁྱེན་པ་ལ་ཕྱག་འཚལ་ལོ། །གང་ལ་བརྟེན་ན་བདེ་བླག་ཏུ། །ཐར་པའི་གྲོང་དུ་བགྲོད་པའི་ཐབས། །བདེ་གཤེགས་བསྟན་པའི་སྙིང་པོ་མཆོག །སོ་སོར་ཐར་ཅེས་གྲགས་པ་གང་། །ངོ་བོ་དང་ནི་རབ་དབྱེ་དང་། །སོ་སོའི་ངོས་འཛིན་སྐྱེ་བའི་རྟེན། །གཏོང་བའི་རྒྱུ་དང་ཕན་ཡོན་ཏེ། །རྣམ་པ་དྲུག་གིས་ཇི་བཞིན་བཤད། །ངེས་འབྱུང་བསམ་པས་རྒྱུ་བྱས་ནས། །གཞན་གནོད་གཞི་དང་བཅས་པ་ལས། །ལྡོག་པ་དེ་ཡང་ལུས་ངག་ལས། །གཟུགས་ཅན་ཡིན་ཞེས་འདོད་པ་དང་། །སྤོང་བའི་སེམས་པ་རྒྱུན་ཆགས་པ། །ས་བོན་དང་བཅས་ཡིན་ནོ་ཞེས། །འདོད་པའི་ཚུལ་ནི་རྣམ་པ་གཉིས། །རང་གི་སྡེ་བ་གོང་འོག་སྨྲ། །བསྙེན་གནས་དགེ་བསྙེན་ཕ་མ་དང་། །དགེ་ཚུལ་ཕ་མ་དགེ་སློབ་མ། །དགེ་སློང་མ་དང་དགེ་སློང་སྟེ། །སོ་སོར་ཐར་པ་རིགས་བརྒྱད་དོ། །ཁྱིམ་པའི་སྡོམ་པ་དང་པོ་གསུམ། །རབ་བྱུང་སྡོམ་པ་ཐ་མ་ལྔ། །རྩ་བ་བཞི་དང་ཡན་ལག་བཞི། །བརྒྱད་སྤོང་བསྙེན་གནས་སྡོམ་པའོ། །མི་ཚངས་སྤྱོད་དང་མ་བྱིན་ལེན། །སྲོག་གཅོད་རྫུན་དུ་སྨྲ་བ་རྣམས། །རྩ་བ་བཞི་ཡིན་མལ་ཆེ་མཐོ། །ཆང་འཐུང་གར་སོགས་ཕྲེང་སོགས་དང་། །ཕྱི་དྲོའི་ཁ་ཟས་ཡན་ལག་བཞི། །གསོད་རྐུ་སྨྲ་དང་ལོག་པར་གཡེམ། །སྨྱོས་འགྱུར་འཐུང་བ་ལྔ་སྤོང་བ། །དགེ་བསྙེན་གྱི་ནི་སྡོམ་པའོ། །སྣ་གཅིག་སྣ་འགའ་ཕལ་ཆེར་སྤྱོད། །ཡོངས་རྫོགས་སྤྱོད་དང་ཚངས་སྤྱོད་དང་། །སྐྱབས་འགྲོའི་དགེ་བསྙེན་རྣམ་པ་དྲུག །རྩ་བ་བཞི་ལས་གཅིག་

གཉིས་གསུམ། །འདོད་ལོག་མི་ཚངས་སྤྱོད་སྤོང་དང་། །སྐྱབས་འགྲོ་ཙམ་གྱི་དགེ་བསྙེན་ དུ། །ཁས་ལེན་རྣམས་དང་གོ་རིམ་བཞིན། །རྩ་བ་བཞི་དང་ཡན་ལག་དྲུག །བཅུ་ སྤོང་དགེ་ཚུལ་སྡོམ་པའོ། །གར་སོགས་ཕྲེང་སོགས་རྣམ་གཉིས་དང་། །གསེར་དངུལ་ ལེན་དང་རྣམ་པ་གསུམ། །ཕྱེ་བས་ཡན་ལག་དྲུག་ཏུ་འགྱུར། །མཁན་པོར་གསོལ་བ་ གདབ་པ་དང་། །ཁྲིམ་པའི་རྟགས་ནི་སྤོང་བ་དང་། །རབ་བྱུང་རྟགས་ནི་ལེན་པ་ལས། །ཉམས་པ་རྣམ་གསུམ་བསྟན་པ་ཡིས། །སྤང་བྱ་བཅུ་གསུམ་དག་ཏུ་འགྱུར། །དགེ་ ཚུལ་སྡོམ་པ་ཐོབ་རྗེས་སུ། །རྩ་བའི་ཆོས་དྲུག་རྗེས་མཐུན་གྱི། །ཆོས་དྲུག་སྤོང་བའི་ སྡོམ་པ་ནི། །དགེ་སློབ་མ་ཡི་སྡོམ་པ་ཡིན། །གཅིག་པུ་ལམ་དུ་འགྲོ་མི་བྱ། །ཆུ་བོའི་ ཕ་རོལ་རྐྱལ་མི་བྱ། །སྐྱེས་པ་ལ་ནི་རེག་མི་བྱ། །སྐྱེས་པ་དང་ནི་འདུག་མི་བྱ། །སྨྱན་ དུ་འགྱུར་བ་མི་བྱ་ཞིང་། །ཁ་ན་མ་ཐོ་འཆབ་མི་བྱ། །དེ་དག་རྩ་བའི་ཆོས་དྲུག་སྤོང་། །གསེར་ལ་གཟུང་བར་མི་བྱ་ཞིང་། །འདོམས་ཀྱི་སྤུ་ནི་བྲེག་མི་བྱ། །བྱིན་ལེན་མ་བྱས་ ཟ་མི་བྱ། །གསོག་འཇོག་བྱས་པ་བཟའ་མི་བྱ། །རྩྭ་སྔོན་མི་གཅང་འདོར་མི་བྱ། །ས་ ནི་བརྐོ་བར་མི་བྱ་བ། །རྗེས་མཐུན་ཆོས་ནི་རྣམ་དྲུག་སྤོང་། །ཕམ་བརྒྱད་ལྷག་མ་ཉི་ ཤུ་དང་། །སྤང་བའི་ལྟུང་བྱེད་སུམ་ཅུ་གསུམ། །ལྟུང་བྱེད་འབའ་ཞིག་བརྒྱ་བརྒྱད་ཅུ། །སོ་སོར་བཤགས་པ་བཅུ་གཅིག་དང་། །ཉེས་བྱས་བརྒྱ་དང་བཅུ་གཉིས་ཏེ། །སུམ་ བརྒྱ་དྲུག་ཅུ་རྩ་བཞི་རྣམས། །སྤོང་བར་བྱེད་པ་དགེ་སློང་མ། །ཕམ་པ་བཞི་དང་ལྷག་ མ་ནི། །བཅུ་གསུམ་སྤང་ལྟུང་སུམ་ཅུ་དང་། །ལྟུང་བྱེད་འབའ་ཞིག་དགུ་བཅུ་དང་། །སོར་བཤགས་བཞི་དང་ཉེས་བྱས་ནི། །བརྒྱ་རྩ་བཅུ་གཉིས་བསྡོམས་པ་ཡིས། །ཉིས་ བརྒྱ་ལྔ་བཅུ་རྩ་གསུམ་རྣམས། །སྤོང་བར་བྱེད་པ་དགེ་སློང་ངོ་། །དེ་ལྟར་སོ་ཐར་རིགས་ བརྒྱད་པོ། །སྲ་མི་སྙན་པ་མ་གཏོགས་པའི། །གླིང་གསུམ་སྐྱེས་པ་བུད་མེད་ཀྱི། །རྟེན་

ལ་སྐྱེ་ཡི་ཟ་མ་དང་། །མ་ཉིད་མཚན་གཉིས་སོགས་ལ་མིན། །སྡོམ་པ་གཏོང་བའི་རྒྱུ་ལ་གཉིས། །བསླབ་པ་ཕུལ་དང་ཤི་འཕོས་དང་། །མཚན་གཉིས་བྱུང་དང་ལན་གསུམ་གྱུར། །དགེ་རྩ་ཆད་རྣམས་ཐུན་མོང་ངོ་། །ཉི་ཤུ་མ་ལོན་དེར་ཤེས་དང་། །བསྙེན་ཕྱིར་ཁས་བླངས་ཉིད་ཞག་འདས། །རིམ་བཞིན་དགེ་སློང་དགེ་སློབ་མ། །བསྙེན་གནས་རྣམས་ཀྱི་ཐུན་མོང་མིན། །རྩ་བའི་ལྟུང་བ་བྱུང་བ་དང་། །དམ་པའི་ཆོས་ནི་ནུབ་པ་ལས། །སྡོམ་པ་གཏོང་ཞེས་འདོད་པའང་ཡོད། །ཁ་ཆེ་བྱེ་བྲག་སྨྲ་བ་རྣམས། །སྡོམ་ལྡན་རྩ་ལྟུང་བྱུང་བ་ལ། །བུ་ལོན་ནོར་ལྡན་བཞིན་དུ་འདོད། །སྡོམ་པ་དེ་དག་བསྲུངས་པ་ལས། །གནས་སྐབས་འབྲས་བུ་ལྷ་མི་དང་། །མཐར་ཐུག་འབྲས་བུ་བྱང་ཆུབ་གསུམ། །ཐོབ་པར་འགྱུར་ཞེས་གསུངས་པའི་ཕྱིར། །བརྩོན་ལྡན་རྣམས་ཀྱི་སོ་སོར་ཐར། །རྟག་ཏུ་གུས་པས་འབད་དེ་བསྲུང་། །དགེ་དེས་སྐྱེ་བར་ལུས་ཅན་རྣམས། །རྟག་ཏུ་ཚངས་སྤྱོད་ལ་གནས་ཤོག །ཅེས་སོ་སོར་ཐར་པའི་སྡོམ་པ་གཏན་ལ་དབབ་པ་འདུལ་བ་རྒྱ་མཚོའི་སྙིང་པོ་བསྡུས་པ་ཞེས་བྱ་བ་འདི་ནི། །ཡུལ་གངས་ཅན་གྱི་མཐར་སྐྱེས་པའི་སྨན་དངགས་མཁན་ཤར་ཙོང་ཁ་པ་བློ་བཟང་གྲགས་པའི་དཔལ་གྱིས་སྦྱར་བའོ།།